CLASSIQUES
& CIE
LYCÉE

SOPHOCLE (Vᵉ siècle av. J.-C.)
PASOLINI (1967)

Œdipe roi

suivi de **20 questions traitées**
pour la **préparation du bac Littérature Tˡᵉ L**

Collection dirigée par **Johan Faerber**

Édition annotée et commentée par **Isabelle Lasfargue-Galvez**
agrégée de grammaire

Hatier

Œdipe roi

Le texte de Sophocle

Le dossier sur le texte et sur le film

REPÈRES CLÉS POUR SITUER LES DEUX ŒUVRES

QUESTIONS TRAITÉES POUR S'ENTRAÎNER À L'ÉPREUVE

■ **Questions générales** (12 points)

© Hatier Paris 2015 – ISBN 978-2-218-99499-9

■ **Questions spécifiques** (8 points)

LEXIQUES

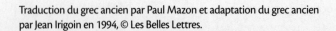

Œdipe roi

Œdipe roi

Devant le palais d'Œdipe. Un groupe d'enfants est accroupi sur les degrés du seuil. Chacun d'eux a en main un rameau d'olivier[1]. Debout, au milieu d'eux, est le prêtre de Zeus[2].

ŒDIPE. – Enfants, jeune lignée de notre vieux Cadmos[3], que faites-vous là assis, devant moi, pieusement parés de rameaux suppliants[4] ? La ville est pleine tout ensemble et de vapeurs d'encens et de péans[5] mêlés de plaintes. Je n'ai pas cru dès lors pouvoir laisser à d'autres le soin d'entendre votre appel, je suis venu à vous moi-même, mes enfants, moi, Œdipe – Œdipe au nom que nul n'ignore. Allons ! vieillard, explique-toi : tu es tout désigné pour parler en leur nom. À quoi répond votre attitude ? À quelque crainte ou à quelque désir ? Va, sache-le, je suis prêt, si je puis, à vous donner une aide entière. Il faudrait bien que je fusse insensible pour n'être pas pris de pitié à vous voir ainsi à genoux.

---

1. L'olivier, dans la Grèce antique, est symbole de paix.
2. Ces didascalies sont postérieures à l'écriture de la pièce.
3. Cadmos : fondateur légendaire de Thèbes.
4. **Rameaux suppliants** : littéralement « rameaux de suppliants », habituellement utilisés par des suppliants. La posture de suppliant est une attitude codifiée qui appartient au rituel religieux.
5. **Péans** : chants solennels à plusieurs voix entonnés en l'honneur d'un ou de plusieurs dieux.

LE PRÊTRE. – Eh bien ! je parlerai. Ô souverain de mon pays, Œdipe, tu vois l'âge de tous ces suppliants à genoux devant tes autels. Les uns n'ont pas encore la force de voler bien loin, les autres sont accablés par la vieillesse[1] ; je suis, moi, prêtre de Zeus ; ils forment, eux, un choix de jeunes gens. Tout le reste du peuple, pieusement paré, est à genoux, ou sur nos places, ou devant les deux temples consacrés à Pallas[2], ou encore près de la cendre prophétique d'Isménos[3]. Tu le vois comme nous, Thèbes, prise dans la houle, n'est plus en état de tenir la tête au-dessus du flot meurtrier. La mort la frappe dans les germes où se forment les fruits de son sol, la mort la frappe dans ses troupeaux de bœufs, dans ses femmes, qui n'enfantent plus la vie. Une déesse porte-torche[4], déesse affreuse entre toutes, la Peste[5], s'est abattue sur nous, fouaillant notre ville et vidant peu à peu la maison de Cadmos[6], cependant que le noir Enfer[7] va s'enrichissant de nos plaintes,

---

1. Cette indication suppose qu'en plus du prêtre et des enfants, d'autres vieillards sont présents sur la scène.

2. Pallas : surnom d'Athéna. Pour expliquer ce surnom, on racontait que Pallas était une fille du dieu maritime Triton involontairement tuée par Athéna. En compensation, celle-ci avait adopté le nom de la jeune fille comme surnom.

3. L'Isménos est d'abord un fleuve de la région de Thèbes. Mais il désigne également la divinisation du fleuve. Le dieu Isménos est, soit Apollon lui-même, soit son fils à qui on rendait un culte à Thèbes. Sur son autel, on examinait des **cendres** pour y lire l'avenir.

4. Porte-torche : cet attribut n'est pas forcément négatif. Il peut caractériser plusieurs divinités comme Zeus, Déméter ou Artémis. Mais il a souvent une connotation négative lorsqu'il est associé à la foudre, à la guerre ou encore à la fièvre de la maladie. C'est ce dernier sens qui domine ici.

5. Peste : le mot grec n'est pas allégorisé ni divinisé. C'est le mot « déesse », employé avec l'épithète « porte-torche », qui divinise la maladie.

6. Maison de Cadmos : l'expression ne désigne sans doute pas le palais royal mais, par métonymie et par métaphore, l'ensemble de la cité dont Cadmos est le fondateur.

7. Enfer : le texte grec dit « Hadès », dieu des Enfers, lequel, par métonymie, désigne les Enfers.

30 de nos sanglots. Certes ni moi ni ces enfants, à genoux devant ton foyer, nous ne t'égalons aux dieux ; non, mais nous t'estimons le premier de tous les mortels dans les incidents de notre existence et les conjonctures créées par les dieux. Il t'a suffi d'entrer jadis [1] dans cette ville de Cadmos pour la libérer

35 du tribut qu'elle payait alors à l'horrible Chanteuse [2]. Tu n'avais rien appris pourtant de la bouche d'aucun de nous, tu n'avais reçu aucune leçon : c'est par l'aide d'un dieu – chacun le dit, chacun le pense – que tu as su relever notre fortune. Eh bien ! cette fois encore, puissant Œdipe aimé de tous ici, à tes

40 pieds, nous t'implorons. Découvre pour nous un secours. Que la voix d'un dieu te l'enseigne ou qu'un mortel t'en instruise, n'importe ! Les hommes éprouvés se trouvent aussi ceux dont je vois les conseils le plus souvent couronnés de succès. Oui, redresse notre ville, ô toi, le meilleur des humains ! Oui,

45 prends garde pour toi-même ! Ce pays aujourd'hui t'appelle son sauveur, pour l'ardeur à le servir que tu lui montras naguère : ne va pas maintenant lui laisser de ton règne ce triste souvenir qu'après notre relèvement il aura ensuite marqué notre chute. Redresse cette ville définitivement. C'est sous

50 d'heureux auspices [3] que tu nous apportas autrefois le salut : ce que tu fus, sois-le encore. Aussi bien, si tu dois régner sur cette terre, comme tu y règnes aujourd'hui, ne vaut-il pas

---

1. Jadis : la temporalité est imprécise. On ne sait pas combien d'années ont passé entre le moment où Œdipe a délivré Thèbes de la Sphinx et le moment de la pièce.

2. L'horrible Chanteuse : désigne la Sphinx. Le mot grec est « aède » : les paroles de la Sphinx sont assimilées à des chants poétiques pareils à ceux des aèdes. La poésie peut donc être un instrument de beauté, mais avoir aussi un charme dévastateur. On peut penser également aux chants mortifères des Sirènes dans l'*Odyssée*.

3. Auspices : mot d'origine latine, qui désigne les signes, les présages envoyés par les dieux, tirés notamment du vol des oiseaux.

mieux pour cela qu'elle soit peuplée que déserte ? Un rempart, un vaisseau ne sont rien, s'il n'y a plus d'hommes pour les
55 occuper.

ŒDIPE. – Mes pauvres enfants, vous venez à moi chargés de vœux que je n'ignore pas – que je connais trop. Vous souffrez tous, je le sais ; mais quelle que soit votre souffrance, il n'est pas un de vous qui souffre autant que moi. Votre
60 douleur, à vous, n'a qu'un objet : pour chacun lui-même et nul autre. Mon cœur à moi gémit sur Thèbes et sur toi et sur moi tout ensemble. Vous ne réveillez pas ici un homme pris par le sommeil. Au contraire, j'avais, sachez-le, répandu déjà bien des larmes et fait faire bien du chemin à ma pensée
65 anxieuse. Le seul remède que j'aie pu, tout bien pesé, découvrir, j'en ai usé sans retard. J'ai envoyé le fils de Ménécée[1], Créon, mon beau-frère, à Pythô[2], chez Phœbos[3], demander ce que je devais dire ou faire pour sauvegarder notre ville. Et même le jour où nous sommes, quand je le rapproche du
70 temps écoulé n'est pas sans m'inquiéter : qu'arrive-t-il donc à Créon ? La durée de son absence dépasse le délai normal beaucoup plus qu'il n'est naturel. Mais dès qu'il sera là, je serais criminel, si je refusais d'accomplir ce qu'aura déclaré le dieu.

---

1. Ménécée est un descendant direct de Cadmos, le fondateur de Thèbes. Créon, son fils, frère de Jocaste, la femme d'Œdipe, l'est donc également.
2. Pythô : désigne l'oracle d'Apollon à Delphes, incarné par la *Pythie*, prêtresse chargée de délivrer le message du dieu. Son nom est associé au serpent *Python* qui avait été chargé par Héra, l'épouse de Zeus, de persécuter Léto, enceinte de Zeus. Apollon, fruit avec sa sœur Artémis de cette union adultère, s'était vengé de cette persécution en pourchassant le serpent jusqu'à Delphes et en le tuant.
3. Phœbos : surnom d'Apollon signifiant « le Brillant ». Le dieu est le symbole du soleil et de la lumière de la civilisation en tant que maître des arts. Il incarne également la jeunesse et la beauté.

75 LE PRÊTRE. – Tu ne pouvais parler plus à propos : ces enfants me font justement signe que Créon est là, qui approche.

ŒDIPE. – Ah ! s'il pouvait, cher Apollon, nous apporter quelque chance de sauver Thèbes, comme on se l'imagine à son air radieux !

80 LE PRÊTRE. – On peut du moins croire qu'il est satisfait. Sinon, il n'irait pas le front ainsi paré d'une large couronne de laurier[1] florissant.

ŒDIPE. – Nous allons tout savoir. Le voici maintenant à portée de nos voix. Ô prince, cher beau-frère, ô fils de 85 Ménécée, quelle réponse du dieu nous rapportes-tu donc ?

(Créon entre par la gauche.)

CRÉON. – Une réponse heureuse. Crois-moi, les faits les plus fâcheux, lorsqu'ils prennent la bonne route, peuvent tous tourner au bonheur.

ŒDIPE. – Mais quelle est-elle exactement ? Ce que tu dis 90 – sans m'alarmer – ne me rassure guère.

CRÉON. – Désires-tu m'entendre devant eux ? je suis prêt à parler. Ou bien préfères-tu rentrer ?

ŒDIPE. – Va, parle devant tous. Leur deuil à eux me pèse plus que le souci de ma personne.

95 CRÉON. – Eh bien ! voici quelle réponse m'a été faite au nom du dieu. Sire[2] Phœbos nous donne l'ordre exprès « de chasser la souillure que nourrit ce pays, et de ne pas l'y laisser croître jusqu'à ce qu'elle soit incurable ».

---

1. Laurier : plante associée au culte d'Apollon.
2. Sire : en parlant des dieux, le terme grec signifie « tout-puissant ». La tra-duction par « sire » peut prêter à confusion : ici, il ne s'agit pas d'un titre politique.

ŒDIPE. – Oui. Mais comment nous en laver ? Quelle est la nature du mal ?

CRÉON. – En chassant les coupables, ou bien en les faisant payer meurtre pour meurtre, puisque c'est le sang dont il parle qui remue ainsi notre ville.

ŒDIPE. – Mais quel est donc l'homme dont l'oracle dénonce la mort ?

CRÉON. – Ce pays, prince, eut pour chef Laïos[1], autrefois, avant l'heure où tu eus toi-même à gouverner notre cité.

ŒDIPE. – On me l'a dit ; jamais je ne l'ai vu moi-même.

CRÉON. – Il est mort, et le dieu aujourd'hui nous enjoint nettement de le venger et de frapper ses assassins.

ŒDIPE. – Mais où sont-ils ? Comment retrouver à cette heure la trace incertaine d'un crime si vieux[2] ?

CRÉON. – Le dieu les dit en ce pays. Ce qu'on cherche, on le trouve ; c'est ce qu'on néglige qu'on laisse échapper.

ŒDIPE. – Est-ce en son palais, ou à la campagne, ou hors du pays, que Laïos est mort assassiné ?

CRÉON. – Il nous avait quittés pour consulter l'oracle, disait-il. Il n'a plus reparu chez lui du jour qu'il en fut parti.

ŒDIPE. – Et pas un messager, un compagnon de route n'a assisté au drame, dont on pût tirer quelque information ?

CRÉON. – Tous sont morts, tous sauf un, qui a fui, effrayé, et qui n'a pu conter de ce qu'il avait vu qu'une chose, une seule…

---

1. Laïos : fils de Labdacos, ancien roi de Thèbes, et père d'Œdipe.
2. Si vieux : encore une fois, la temporalité est très vague. Sophocle insiste sur la durée et non sur la datation exacte.

125 ŒDIPE. – Laquelle ? Un seul détail pourrait en éclairer bien d'autres, si seulement il nous offrait la moindre raison d'espérer.

CRÉON. – Il prétendait que Laïos avait rencontré des brigands et qu'il était tombé sous l'assaut d'une troupe, non sous le bras d'un homme.

130 ŒDIPE. – Des brigands auraient-ils montré pareille audace, si le coup n'avait pas été monté ici et payé à prix d'or ?

CRÉON. – C'est bien aussi ce que chacun pensa ; mais, Laïos mort, plus de défenseur qui s'offrît à nous dans notre détresse.

135 ŒDIPE. – Et quelle détresse pouvait donc bien vous empêcher, quand un trône venait de crouler, d'éclaircir un pareil mystère ?

CRÉON. – La Sphinx[1] aux chants perfides, la Sphinx, qui nous forçait à laisser là ce qui nous échappait, afin de regarder
140 en face le péril placé sous nos yeux.

ŒDIPE. – Eh bien ! je reprendrai l'affaire à son début et l'éclaircirai, moi. Phœbos[2] a fort bien fait – et tu as bien fait, toi aussi – de montrer ce souci du mort. Il est juste que tous deux vous trouviez un appui en moi. Je me charge de
145 la cause à la fois de Thèbes et du dieu[3]. Et ce n'est pas pour des amis lointains, c'est pour moi que j'entends chasser d'ici cette souillure. Quel que soit l'assassin, il peut vouloir un jour me frapper d'un coup tout pareil. Lorsque je

---

1. Sphinx (n. fém.) : monstre hybride qui, de sa mère Échidna, a hérité le visage et la poitrine d'une femme, de son père Typhon, une queue de dragon. Avec son corps de lion, elle ressemble aussi à sa sœur Chimère. Elle a également des ailes pareilles à ses autres sœurs, les Harpyes.
2. Phœbos : surnom d'Apollon signifiant « le Brillant » ; voir note 3, p. 10.
3. Du dieu : c'est-à-dire d'Apollon.

défends Laïos, c'est moi-même aussi que je sers[1]. Levez-
150 vous donc, enfants, sans tarder, de ces marches et emportez
ces rameaux suppliants[2]. Un autre[3] cependant assemblera
ici le peuple de Cadmos. Pour lui, je suis prêt à tout faire,
et, si le dieu m'assiste, on me verra sans doute triompher
– ou périr.

(Il rentre dans le palais avec Créon.)

155 LE PRÊTRE. – Relevons-nous, enfants, puisque ce que nous
sommes venus chercher ici, le roi nous le promet. Que
Phœbos, qui nous a envoyé ces oracles, maintenant vienne
nous sauver et mettre un terme à ce fléau !

(Les enfants sortent avec le Prêtre.
Entre le Chœur[4] des Vieillards[5].)

Large.

LE CHŒUR. – *Ô douce parole de Zeus[6], que viens-tu apporter de*
160 *Pythô[7] l'opulente à notre illustre ville,*

---

1. Pour le spectateur qui connaît la véritable identité d'Œdipe, la phrase a un
tout autre sens. On est en pleine ironie tragique.
2. Rameaux suppliants : littéralement « rameaux de suppliants », habituellement utilisés par des suppliants. La posture de suppliant est une attitude
codifiée qui appartient au rituel religieux.
3. Un autre : Œdipe sort de scène et charge quelqu'un de rassembler le
peuple de Thèbes. Cette phrase semble faire la transition avec l'arrivée du
Chœur.
4. Voir Repère 1, p. 79, et Question 11, p. 131.
5. Ici commence la *parodos* ou « entrée du chœur », chantée et dansée.
6. Il semble que toute la cité, dont le Chœur, soit au courant du retour
de Créon de Delphes. Mais les Vieillards ignorent encore le contenu de la
prédiction. C'est pourquoi ils s'adressent à Zeus, comme source première de
tous les oracles. On retrouve cette idée dans *L'Orestie* d'Eschyle, à propos de
l'oracle d'Apollon enjoignant Oreste de tuer sa mère et de venger son père.
7. Pythô : désigne l'oracle d'Apollon à Delphes, incarné par la *Pythie*, prêtresse
chargée de délivrer le message du dieu ; voir note 2, p. 10.

à Thèbes ? Mon âme, tendue par l'angoisse, est là qui palpite d'effroi. Dieu qu'on invoque avec des cris aigus, dieu de Délos [1], dieu guérisseur [2],

quand je pense à toi, je tremble : que vas-tu exiger de nous ? une
165 *obligation nouvelle ? ou une obligation omise à renouveler au cours des années ?*

Dis-le moi, Parole éternelle [3], fille de l'éclatante Espérance [4].

C'est toi que j'invoque d'abord, toi, la fille de Zeus, immortelle Athéna [5] ; et ta sœur aussi, reine de cette terre,
170 *Artémis [6], dont la place ronde de Thèbes forme le trône glorieux [7] ; et, avec vous, Phœbos l'Archer [8] ; allons !*

tous trois ensemble, divinités préservatrices, apparaissez à mon appel ! Si jamais, quand un désastre menaçait jadis notre ville,

vous avez su écarter d'elle la flamme du malheur, aujourd'hui
175 *encore accourez !*

---

1. Dieu de Délos : périphrase traditionnelle désignant Apollon par son lieu de naissance.

2. Dieu guérisseur : parmi les nombreuses fonctions d'Apollon, on lui attribue celle de protecteur et de guérisseur.

3. Parole éternelle : désigne l'oracle tant attendu.

4. Fille de l'éclatante Espérance : cette filiation entre l'oracle et l'Espérance, ici divinisée, révèle qu'on attend d'un oracle plutôt des révélations positives, rarement l'annonce d'un malheur.

5. Athéna : déesse aux nombreux attributs. Elle est gardienne des palais et des maisons, protectrice des travaux domestiques, des héros en cas de guerre, des récoltes, surtout de l'olivier. Elle est née de Zeus seul.

6. Artémis : fille de Zeus, comme Athéna, elle est la sœur jumelle d'Apollon. Elle protège la nature sauvage, végétale et animale, elle incarne la chasse, elle protège également la vie féminine.

7. L'interprétation et la traduction de cette phrase ne sont pas sûres. Paul Mazon hésite entre deux interprétations : soit Artémis était honorée sur l'agora de forme ronde de Thèbes sous le nom d'« Artémis-gloire » ; soit il y avait sur l'agora un Artémision en forme de thôlos, c'est-à-dire un temple consacré à Artémis de forme ronde. La traduction serait alors : « Toi qui sur notre place occupes un glorieux trône rond. »

8. L'archer : l'arc est l'un des symboles d'Apollon. Paradoxalement, par son arc, Apollon peut également être celui qui sème la mort brutale et la peste.

Plus animé.

Ah[1] ! je souffre des maux sans nombre. Tout mon peuple est en proie au fléau, et ma pensée ne possède pas d'arme

qui nous permette une défense. Les fruits de ce noble terroir ne croissent plus à la lumière, et d'heureuses naissances

180   *ne couronnent plus le travail qui arrache des cris aux femmes. L'un après l'autre, on peut voir les Thébains, pareils à des oiseaux ailés,*

plus prompts que la flamme indomptable, se précipiter sur la rive où règne le dieu du Couchant[2].

185   *Et la Cité se meurt en ces morts sans nombre. Nulle pitié ne va à ses fils gisant sur le sol : ils portent la mort à leur tour, personne ne gémit sur eux.*

Épouses, mères aux cheveux blancs, toutes de partout affluent au pied des autels,

190   *suppliantes, pleurant leurs atroces souffrances. Le péan[3] éclate, accompagné d'un concert de sanglots.*

Sauve-nous, fille éclatante de Zeus[4], dépêche-nous ton secours radieux !

---

1. Ah ! En grec, *ô popoi*, interjection de lamentation très expressive qui peut parfois être répétée plusieurs fois, lorsque le Chœur ou un personnage se lamente ou pleure.

2. Dieu du couchant : périphrase désignant Hadès, dieu des Enfers, qui, selon la tradition homérique, a son royaume à l'ouest, là où le soleil se couche.

3. Péan : chant solennel à plusieurs voix entonné en l'honneur d'un ou de plusieurs dieux.

4. Fille éclatante de Zeus : quelle est la déesse invoquée ici ? L'expression semble désigner à nouveau Artémis puisque le Chœur vient d'évoquer le sort des femmes dont Artémis est la déesse protectrice. Mais « fille de Zeus » est une dénomination réservée habituellement à Athéna.

Vif et bien marqué

Arès[1] *le Brutal renonce cette fois au bouclier de bronze. Il vient,*
195 *enveloppé d'une immense clameur, nous assaillir, nous consumer.*

Ah ! qu'il fasse donc volte-face, rebroussant chemin à toute
vitesse, ou jusque dans la vaste demeure d'Amphitrite[2],

ou jusque vers ces flots de Thrace[3] où ne se montre aucun rivage
hospitalier !

200 *Si la nuit a laissé quelque chose à faire, c'est le jour qui vient*
terminer sa tâche. Sur ce cruel, ô Zeus Père, maître de l'éclair
enflammé, lâche ta foudre[4], écrase-le !

Et toi aussi, dieu Lycien[5], je voudrais voir les traits partis de
ton arc d'or se disperser, invincibles,

205 *pour me secourir, pour me protéger, en même temps que ces flam-*
beaux dont la lueur illumine Artémis, quand elle court, bondis-
sante, à travers les monts de Lycie.

---

1. Arès, dieu de la guerre, est ici invoqué pour personnifier le fléau qui s'est
abattu sur la ville.

2. Amphitrite : déesse épouse légitime de Poséidon, dieu de la mer. Voulant lui
échapper, elle s'était réfugiée aux confins du monde, à l'ouest. « La vaste demeure
d'Amphitrite » est donc une périphrase mythologique qui désigne l'océan
Atlantique, limite occidentale du monde connu par les Grecs.

3. Ces flots de Thrace : la Thrace et la mer de Thrace se situent à l'extrémité
nord-est du monde connu dans la géographie tragique.

4. Zeus est le père symbolique des dieux olympiens. On reconnaît ici deux de
ses plus célèbres attributs : l'éclair et la foudre.

5. Dieu Lycien : autre périphrase désignant Apollon, soit en tant que dieu de
la Lycie (c'est le choix du traducteur), contrée au sud de l'Asie Mineure (Turquie
actuelle), soit comme dieu « lumineux ». La deuxième hypothèse est renforcée
par l'allusion à l'« arc d'or ». De plus, Délos, l'île de naissance d'Apollon, signifie « la brillante ». Mais il existait en Lycie un temple dédié à Léto, la mère
d'Apollon et d'Artémis, dont le texte dit plus bas qu'elle courait à travers les
monts de Lycie. Une version de la légende raconte que Léto, après la naissance
des jumeaux, aurait été conduite en Lycie par des loups (étymologie possible du
mot *lukeios*). Mais on peut aussi considérer que l'épithète de « lycien » est tellement usuelle qu'elle ne signifie pas grand-chose. C'est une façon d'appeler
Apollon et, pour un Grec, il n'y a pas vraiment d'effet de sens.

J'appelle enfin le dieu au diadème d'or, celui qui a donné son nom à mon pays,

210 *le dieu de l'évohé[1], Bacchos[2] au visage empourpré[3], le compagnon des Ménades[4] errantes. Ah ! qu'il vienne, éclairé d'une torche ardente, attaquer le dieu à qui tout honneur est refusé parmi les dieux !*

(*Œdipe sort du palais et s'adresse au Chœur du haut de son seuil[5].*)

ŒDIPE. – J'entends tes prières, et à ces prières c'est moi qui réponds. Sache écouter, accueillir mes avis, sache te plier

215 aux ordres du fléau, et tu auras le réconfort, l'allégement attendu de tes peines. Je parle ici en homme étranger au rapport[6] qu'il vient d'entendre, étranger au crime lui-même ; je ne pourrais tout seul mener loin mon enquête, à moins de disposer de quelque indice ; et, comme je me

220 trouve en fait un des derniers citoyens inscrits dans cette cité, c'est à vous, c'est à tous les Cadméens[7], que j'adresse solennellement cet appel :

---

1. **Évohé** : cri des Bacchantes, en l'honneur de Dionysos (voir Repère 4, p. 87).
2. **Bacchos** : nom récent du dieu Dionysos. Le texte de Sophocle est l'attestation la plus ancienne de ce nouveau nom. Dionysos est le fils de Sémélé, née à Thèbes, et de Zeus. Sémélé voulut voir Zeus en majesté, c'est-à-dire dans toute sa luminosité et tout son feu. Elle en mourut. Zeus sauva l'enfant et le mit dans sa cuisse pour qu'il finisse de grandir. La vie de Dionysos fut parsemée d'embûches en raison de la jalousie d'Héra, épouse légitime de Zeus, mais également de sa propre folie. Il voulut introduire son culte, lié au vin et à l'ivresse mais aussi à l'art, à Thèbes, qu'il considérait comme sa patrie.
3. **Empourpré** : en grec l'adjectif signifie « couleur de vin », épithète de nature de Dionysos.
4. **Ménades** (« les Furieuses ») : autre nom des Bacchantes, prêtresses de Dionysos, en référence au délire qui s'empare d'elles quand elles célèbrent le culte du dieu.
5. Ici commence le premier épisode.
6. **Rapport** : désigne le récit des événements passés que Créon vient de faire.
7. **Cadméens** : désigne les Thébains en tant que descendants de Cadmos, fondateur légendaire de Thèbes.

« À quiconque parmi vous sait sous le bras de qui est tombé Laïos, le fils de Labdacos[1], j'ordonne de me révéler
225 tout. S'il craint pour lui-même, qu'il se libère sans éclat[2] de l'inculpation qui pèse sur lui : il n'aura nul ennui et partira d'ici en pleine sûreté. S'il connaît l'assassin comme étant un autre – voire un homme né sur une autre terre – qu'il ne garde pas le silence, je lui paierai le prix de sa révélation, et
230 j'y joindrai ma gratitude. Mais en revanche, si vous voulez rester muets, si l'un de vous, craignant pour un des siens ou pour lui-même, se dérobe à mon appel, apprenez en ce cas comment j'entends agir. Quel que soit le coupable, j'interdis à tous, dans ce pays où j'ai le trône et le pouvoir, qu'on le
235 reçoive, qu'on lui parle, qu'on l'associe aux prières ou aux sacrifices, qu'on lui accorde la moindre goutte d'eau lustrale[3]. Je veux que tous, au contraire, le jettent hors de leurs maisons, comme la souillure de notre pays : l'oracle auguste de Pythô[4] vient à l'instant de me le déclarer. Voilà
240 comment j'entends servir et le dieu et le mort[5]. Je voue[6] le criminel, qu'il ait agi tout seul, sans se trahir, ou avec des complices, à user misérablement, comme un misérable, une

---

1. Voir la généalogie d'Œdipe p. 86.
2. Qu'il se libère sans éclat : Paul Mazon souligne que l'expression grecque appartient à la langue politique ; elle signifie « régler sans bruit leur compte à ses adversaires ». Œdipe semble suggérer à l'éventuel coupable, non de se dénoncer, mais d'« écarter de lui-même l'accusation qui pèse sur lui », c'est-à-dire de s'enfuir pour libérer la cité de la souillure qu'il représente, source de la peste qui accable la ville.
3. Lustrale : qui purifie.
4. Pythô : désigne l'oracle d'Apollon à Delphes, incarné par la *Pythie*, prêtresse chargée de délivrer le message du dieu ; voir note 2, p. 10.
5. Le mort : Laïos.
6. Voue : *vouer* est synonyme de « maudire ». Ce verbe appartient au vocabulaire religieux.

vie sans joie[1] ; et, si d'aventure je venais à l'admettre consciemment à mon foyer, je me voue moi-même à tous les

245 châtiments que mes imprécations viennent à l'instant d'appeler sur d'autres. Tout cela, je vous somme de le faire pour moi, pour Apollon, pour cette terre qui se meurt, privée de ses moissons, oubliée de ses dieux. »

(*Œdipe descend vers le Chœur. Sur un ton plus familier, mais qui s'anime et s'élargit peu à peu[2].*)

Oui, quand bien même vous n'eussiez pas eu cet avis des dieux,

250 il n'était pas décent pour vous de tolérer pareille tache[3]. Le meilleur des rois avait disparu : il fallait pousser les recherches à fond. Je me vois à cette heure en possession du pouvoir qu'il eut avant moi, en possession de son lit, de la femme qu'il avait déjà rendue mère ; des enfants communs seraient aujourd'hui notre lot

255 commun, si le malheur n'avait frappé sa race ; mais il a fallu que le sort vînt s'abattre sur sa tête ! C'est moi dès lors qui lutterai pour lui, comme s'il eût été mon père[4]. J'y emploierai tous les moyens, tant je brûle de le saisir, l'auteur de ce meurtre, l'assassin du fils de Labdacos, du prince issu de Polydore, du vieux Cadmos, de

260 l'antique Agénor[5] ! Et pour tous ceux qui se refuseront à exécuter mes ordres, je demande aux dieux de ne pas laisser la moisson

---

1. La série de châtiments qu'Œdipe promet au coupable ou à celui qui ne le dénoncerait pas est révélatrice des structures sociales et religieuses de la cité grecque. La pire condamnation n'est pas la mort mais l'exil social, culturel et moral qui consiste à priver un individu de tout ce qui fait de lui un citoyen. Le coupable est banni de ses relations avec les autres, il est banni des cultes, avec interdiction d'avoir un foyer.

2. Ce type d'indication didascalique signale un changement dans le type de vers employé, donc un changement de rythme et de musicalité.

3. Tache : souillure.

4. Tout le passage relève de l'ironie tragique, puisque Œdipe ne comprend pas le double sens de ses paroles, alors que le public, lui, comprend tout.

5. C'est toute la généalogie d'Œdipe qui défile : il évoque Agénor, père de Cadmos, qui avait envoyé ses fils à la recherche d'Europe que Zeus avait enlevée.

sortir de leur sol, de ne pas laisser naître d'enfants de leurs femmes, mais de les faire tous périr du mal dont nous mourons, si ce n'est d'un pire encore… À vous au contraire, à tous les Cadméens qui
265 obéiront ici à ma voix, je souhaite de trouver comme aide et compagne la Justice, ainsi que les dieux, à jamais !

LE CHŒUR. — Tu m'as pris dans les liens de ton imprécation[1], ô roi : je te parlerai comme elle l'exige. Je n'ai pas commis le meurtre ; je ne saurais davantage te désigner le
270 meurtrier. Mais c'était à Phœbos[2], en nous répondant, de nous dire ce que nous cherchons, le nom de l'assassin.

ŒDIPE. — Tu dis vrai ; mais est-il personne qui puisse contraindre les dieux à faire ce qu'ils ne veulent pas ?

LE CHŒUR. — Je voudrais bien alors te donner un second avis.
275 ŒDIPE. — Voire un troisième, si tu veux. Va, n'hésite pas à parler.

LE CHŒUR. — Comme sire[3] Apollon, sire Tirésias[4] possède, je le sais, le don de clairvoyance. En recourant à lui pour mener cette enquête, on serait renseigné très exactement, roi.

ŒDIPE. — Mais je n'ai pas non plus négligé ce moyen. Créon
280 m'en a parlé, et j'ai dépêché sur l'heure au devin deux messagers. Je m'étonne même depuis un moment qu'il ne soit pas là.

---

1. Imprécation : prière solennelle appelant le malheur sur quelqu'un.

2. Phœbos/Apollon est connu pour ne délivrer que des oracles ambigus ou incomplets, ce que ne manque pas de souligner le coryphée. Le surnom de l'Apollon de Delphes est Loxias, « l'Oblique ».

3. Sire : en parlant des dieux, le terme grec signifie « tout-puissant ». La traduction par « sire » peut prêter à confusion : ici, il ne s'agit pas d'un titre politique.

4. Tirésias : avec Calchas, devin de l'*Iliade*, Tirésias est le devin le plus célèbre de la mythologie grecque. Ayant vu un jour deux serpents en train de s'accoupler, il tua la femelle et fut transformé en femme. Sept ans plus tard, dans les mêmes circonstances, il tua le mâle et redevint homme. Ayant été homme et femme, il fut choisi par Zeus et Héra pour arbitrer l'une de leurs querelles à propos de l'amour. Sa réponse ayant déplu à la déesse, elle le frappa de cécité, mais Zeus lui accorda le don de prophétie et une longue vie.

LE CHŒUR. – Disons-le bien aussi, tout le reste ne compte pas : propos en l'air et radotages.

ŒDIPE. – Quels propos ? Il n'est rien de ce que l'on dit que
285 je n'entende contrôler.

LE CHŒUR. – On l'a dit tué par d'autres voyageurs.

ŒDIPE. – Je l'ai aussi entendu dire. Mais le témoin qui aurait vu le fait, personne ici ne le voit plus lui-même.

LE CHŒUR. – Mais, s'il est tant soit peu accessible à la
290 crainte, devant tes imprécations, le criminel ne pourra plus tenir.

ŒDIPE. – Celui qui n'a pas peur d'un acte a moins peur encore d'un mot.

LE CHŒUR. – Mais il est quelqu'un qui peut le confondre :
295 voici que l'on t'amène l'auguste[1] devin, celui qui, seul parmi les hommes, porte en son sein la vérité !

(Entre Tirésias, guidé par un enfant.
Deux esclaves d'Œdipe les accompagnent[2].)

ŒDIPE. – Toi qui scrutes tout, ô Tirésias, aussi bien ce qui s'enseigne que ce qui demeure interdit aux lèvres humaines, aussi bien ce qui est du ciel que ce qui marche sur la terre, tu
300 as beau être aveugle, tu n'en sais pas moins de quel fléau Thèbes est la proie. Nous ne voyons que toi, seigneur, qui puisses contre lui nous protéger et nous sauver. Phœbos, en effet – si tu n'as rien su par mes envoyés –, Phœbos consulté nous a conseillés ainsi : un seul moyen nous est offert pour
305 nous délivrer du fléau ; c'est de trouver les assassins de Laïos,

---

1. Auguste : signifie à la fois « vénérable » et « sacré ».

2. À partir de la réplique qui suit commence une scène d'*agôn*, c'est-à-dire de lutte verbale entre deux protagonistes. Chez Sophocle, ce sont les scènes phares.

pour les faire ensuite périr ou les exiler du pays. Ne nous refuse donc ni les avis qu'inspirent les oiseaux[1], ni aucune démarche de la science prophétique, et sauve-toi, toi et ton pays, sauve-moi aussi, sauve-nous de toute souillure que peut
310 nous infliger le mort. Notre vie est entre tes mains. Pour un homme, aider les autres dans la mesure de sa force et de ses moyens, il n'est pas de plus noble tâche.

TIRÉSIAS. – Hélas! hélas! qu'il est terrible de savoir, quand le savoir ne sert de rien à celui qui le possède! Je ne l'ignorais
315 pas; mais je l'ai oublié. Je ne fusse pas venu sans cela.

ŒDIPE. – Qu'est-ce là? et pourquoi pareil désarroi à la pensée d'être venu?

TIRÉSIAS. – Va, laisse-moi rentrer chez moi: nous aurons, si tu m'écoutes, moins de peine à porter, moi mon sort, toi le tien[2].

320 ŒDIPE. – Que dis-tu? Il n'est ni normal ni conforme à l'amour que tu dois à Thèbes, ta mère, de lui refuser un oracle.

TIRÉSIAS. – Ah! c'est que je te vois toi-même ne pas dire ici ce qu'il faut; et, comme je crains de commettre la même erreur à mon tour…

325 ŒDIPE. – Non, par les dieux! si tu sais, ne te détourne pas de nous. Nous sommes tous ici à tes pieds, suppliants.

TIRÉSIAS. – C'est que tous, tous, vous ignorez… Mais non, n'attends pas de moi que je révèle mon malheur – pour ne pas dire: le tien.

330 ŒDIPE. – Comment? tu sais, et tu ne veux rien dire! Ne comprends-tu pas que tu nous trahis et perds ton pays?

---

1. Oiseaux: de leur observation on tirait des présages; voir note 3, p. 9.
2. À partir de ce vers commence une stichomythie, échange de répliques courtes, de volume similaire – ici deux vers par réplique –, jusqu'à la ligne 342 («des mots qui sont autant d'affronts pour cette ville?»).

TIRÉSIAS. — Je ne veux affliger ni toi ni moi. Pourquoi me pourchasser vainement de la sorte ? De moi tu ne sauras rien.

ŒDIPE. — Ainsi, ô le plus méchant des méchants — car vrai-
335 ment tu mettrais en fureur un roc — ainsi, tu ne veux rien dire, tu prétends te montrer insensible, entêté à ce point ?

TIRÉSIAS. — Tu me reproches mon furieux entêtement, alors que tu ne sais pas voir celui qui loge chez toi, et c'est moi qu'ensuite tu blâmes !

340 ŒDIPE. — Et qui ne serait en fureur à entendre de ta bouche des mots qui sont autant d'affronts pour cette ville ?

TIRÉSIAS. — Les malheurs viendront bien seuls : peu importe que je me taise et cherche à te les cacher !

ŒDIPE. — Mais alors, s'ils doivent venir, ne faut-il pas que
345 tu me les dises ?

TIRÉSIAS. — Je n'en dirai pas plus. Après quoi, à ta guise ! laisse ton dépit déployer sa fureur la plus farouche.

ŒDIPE. — Eh bien soit ! Dans la fureur où je suis, je ne cèlerai rien de ce que j'entrevois. Sache donc qu'à mes yeux c'est toi qui
350 as tramé le crime, c'est toi qui l'as commis — à cela près seule- ment que ton bras n'a pas frappé. Mais, si tu avais des yeux, je dirais que même cela, c'est toi, c'est toi seul qui l'as fait.

TIRÉSIAS. — Vraiment ? Eh bien, je te somme, moi, de t'en tenir à l'ordre que tu as proclamé toi-même, et donc de ne
355 plus parler de ce jour à qui que ce soit, ni à moi, ni à ces gens ; car, sache-le, c'est toi, c'est toi, le criminel qui souille ce pays[1] !

---

1. Cette révélation aurait pu changer complètement la configuration de la pièce. Il est étonnant de voir comment Œdipe, à ce moment de l'intrigue, est incapable de recevoir la vérité et comment il va plonger dans une illusion totale, dont il devra sortir, seul, dans le deuxième temps de la pièce.

ŒDIPE. — Quoi ? tu as l'impudence de lâcher pareil mot !
Mais comment crois-tu donc te dérober ensuite ?

360 TIRÉSIAS. — Je demeure hors de tes atteintes : en moi vit la
force du vrai.

ŒDIPE. — Et qui t'aurait appris le vrai ? Ce n'est certes pas
ton art.

TIRÉSIAS. — C'est toi, puisque tu m'as poussé à parler
365 malgré moi.

ŒDIPE. — Et à dire quoi ? répète, que je sache mieux.

TIRÉSIAS. — N'as-tu donc pas compris ? Ou bien me tâtes-tu
pour me faire parler ?

ŒDIPE. — Pas assez pour dire que j'ai bien saisi. Va, répète
370 encore.

TIRÉSIAS. — Je dis que c'est toi l'assassin cherché.

ŒDIPE. — Ah ! tu ne répéteras pas telles horreurs impuné-
ment !

TIRÉSIAS. — Et dois-je encore, pour accroître ta fureur…

375 ŒDIPE. — Dis ce que tu voudras : tu parleras pour rien.

TIRÉSIAS. — Eh bien donc, je le dis. Sans le savoir, tu vis dans
un commerce infâme avec les plus proches des tiens, et sans
te rendre compte du degré de misère où tu es parvenu.

ŒDIPE. — Et tu t'imagines pouvoir en dire plus sans qu'il
380 t'en coûte rien ?

TIRÉSIAS. — Oui, si la vérité garde quelque pouvoir.

ŒDIPE. — Ailleurs, mais pas chez toi ! Non, pas chez un
aveugle, dont l'âme et les oreilles sont aussi fermées que les
yeux !

385 TIRÉSIAS. — Mais toi aussi, tu n'es qu'un malheureux,
quand tu me lances des outrages que tous ces gens bientôt te
lanceront aussi.

ŒDIPE. — Tu ne vis, toi, que de ténèbres : comment donc me pourrais-tu nuire, à moi, comme à quiconque voit la clarté du jour ?

390

TIRÉSIAS. — Non, mon destin n'est pas de tomber sous tes coups : Apollon n'aurait pas de peine à te les faire payer.

ŒDIPE. — Est-ce Créon ou toi qui inventas l'histoire ?

TIRÉSIAS. — Ce n'est pas Créon qui te perd, c'est toi.

395

ŒDIPE. — Ah ! richesse, couronne, savoir surpassant tous autres savoirs, vous faites sans doute la vie enviable ; mais que de jalousies vous conservez aussi contre elle chez vous ! s'il est vrai que, pour ce pouvoir, que Thèbes m'a mis elle-même en main, sans que je l'aie, moi, demandé jamais,

400 Créon, le loyal Créon, l'ami de toujours, cherche aujourd'hui sournoisement à me jouer, à me chasser d'ici, et qu'il a pour cela suborné ce faux prophète, ce grand meneur d'intrigues, ce fourbe charlatan, dont les yeux sont ouverts au gain, mais tout à fait clos pour son art. Car enfin, dis-moi, quand donc

405 as-tu été un devin véridique ? pourquoi, quand l'ignoble Chanteuse[1] était dans nos murs, ne disais-tu pas à ces citoyens le mot qui les eût sauvés ? Ce n'était pourtant pas le premier venu qui pouvait résoudre l'énigme[2] : il fallait là l'art d'un devin. Cet art, tu n'as pas montré que tu l'eusses

410 appris ni des oiseaux ni d'un dieu ! Et cependant j'arrive, moi, Œdipe, ignorant de tout, et c'est moi, moi seul, qui lui ferme la bouche, sans rien connaître des présages, par ma seule présence d'esprit. Et voilà l'homme qu'aujourd'hui tu prétends expulser de Thèbes ! Déjà tu te vois sans doute

---

1. L'ignoble Chanteuse : la Sphinx ; voir note 2, p. 9.
2. Énigme : allusion à la question posée par la Sphinx aux voyageurs : « Quel est l'animal qui marche à quatre pattes le matin, à deux à midi et à trois le soir ? »

415 debout auprès du trône de Créon ? Cette expulsion-là pourrait te coûter cher, à toi comme à celui qui a mené l'intrigue.
Si tu ne me faisais l'effet d'un bien vieil homme, tu recevrais
exactement la leçon due à ta malice.

LE CHŒUR. — Il nous semble bien à nous que, si ses mots
420 étaient dictés par la colère, il en est de même pour les tiens,
Œdipe ; et ce n'est pas de tels propos dont nous avons besoin
ici. Comment résoudre au mieux l'oracle d'Apollon, voilà
seulement ce que nous avons à examiner.

TIRÉSIAS. — Tu règnes ; mais j'ai mon droit aussi, que tu
425 dois reconnaître, le droit de te répondre point pour point à
mon tour, et il est à moi sans conteste. Je ne suis pas à tes
ordres, je suis à ceux de Loxias[1] ; je n'aurai pas dès lors à
réclamer le patronage de Créon. Et voici ce que je te dis. Tu
me reproches d'être aveugle ; mais toi, toi qui y vois, comment
430 ne vois-tu pas à quel point de misère tu te trouves à cette
heure ? et sous quel toit tu vis, en compagnie de qui ? – sais-tu
seulement de qui tu es né ? – Tu ne te doutes pas que tu es en
horreur aux tiens, dans l'enfer comme sur la terre. Bientôt,
comme un double fouet, la malédiction d'un père et d'une
435 mère, qui approche, terrible, va te chasser d'ici. Tu vois le
jour : tu ne verras bientôt plus que la nuit. Quels bords ne
rempliras-tu pas alors de tes clameurs ? – quel Cithéron[2] n'y
fera pas écho ? – lorsque tu comprendras quel rivage inclé-
ment fut pour toi cet hymen où te fit aborder un trop heureux

---

1. Loxias : « l'Oblique », surnom d'Apollon ; voir note 2, p. 21.
2. Cithéron : montagne située entre l'Attique (région d'Athènes) et la Béotie
(région de Thèbes). Le mot est employé métonymiquement pour désigner une
montagne en général. Mais ce nom propre a un autre intérêt, car c'est dans les
gorges du Cithéron qu'Œdipe enfant a été abandonné. Tirésias emploie donc
des paroles à double sens qu'Œdipe ne peut pas comprendre.

440 voyage ! Tu n'entrevois pas davantage le flot de désastres
nouveaux qui va te ravaler au rang de tes enfants ! Après cela,
va, insulte Créon, insulte mes oracles : jamais homme avant
toi n'aura plus durement été broyé du sort.

ŒDIPE. — Ah ! peut-on tolérer d'entendre parler de la sorte ?
445 Va-t'en à la male heure, et vite ! Vite, tourne le dos à ce palais.
Loin d'ici ! va-t'en !

TIRÉSIAS. — Je ne fusse pas venu de moi-même : c'est toi seul
qui m'as appelé.

ŒDIPE. — Pouvais-je donc savoir que tu ne dirais que
450 sottises ? J'aurais pris sans cela mon temps pour te mander
jusqu'ici.

TIRÉSIAS. — Je t'apparais donc sous l'aspect d'un sot ?
Pourtant j'étais un sage aux yeux de tes parents.

ŒDIPE. — Quels parents ? Reste là[1]. De qui suis-je le fils ?

455 TIRÉSIAS. — Ce jour te fera naître et mourir à la fois[2].

ŒDIPE. — Tu ne peux donc user que de mots obscurs et
d'énigmes ?

TIRÉSIAS. — Quoi ! tu n'excelles plus à trouver les énigmes ?

ŒDIPE. — Va, reproche-moi donc ce qui fait ma grandeur.

460 TIRÉSIAS. — C'est ton succès pourtant qui justement
te perd.

ŒDIPE. — Si j'ai sauvé la ville, que m'importe le reste ?

TIRÉSIAS. — Eh bien ! je pars. Enfant, emmène-moi.

---

1. Reste là : l'impératif indique que Tirésias a déjà commencé à quitter la scène
et qu'Œdipe, intrigué par la demi-révélation sur ses parents, change d'avis dans
sa volonté de chasser le devin.

2. La phrase de Tirésias ressemble stylistiquement à un oracle d'Apollon Loxias.
Elle a une valeur proleptique (= d'anticipation), mais sa formulation est énigmatique. On peut l'interpréter ainsi : un nouvel Œdipe va naître, celui qui va
découvrir sa véritable identité. Cela implique la mort de l'ancien Œdipe, roi de
Thèbes, qui se croyait fils du roi de Corinthe.

ŒDIPE. – Oui, certes, qu'il t'emmène ! Ta présence me
gêne et me pèse. Tu peux partir : je n'en serai pas plus
chagrin[1].

TIRÉSIAS. – Je pars, mais je dirai d'abord ce pour quoi je
suis venu. Ton visage ne m'effraie pas : ce n'est pas toi qui
peux me perdre. Je te le dis en face : l'homme que tu
cherches depuis quelque temps avec toutes ces menaces,
ces proclamations sur Laïos assassiné, cet homme est ici
même. On le croit un étranger, un étranger fixé dans le
pays : il se révèlera un Thébain authentique et ce n'est pas
cette aventure qui lui procurera grand'joie. Il y voyait : de
ce jour il sera aveugle ; il était riche : il mendiera, et, tâtant
sa route devant lui avec son bâton, il prendra le chemin de
la terre étrangère. Et, du même coup, il se révélera père et
frère à la fois des fils qui l'entouraient, époux et fils
ensemble de la femme dont il est né, rival incestueux aussi
bien qu'assassin de son propre père ! Rentre à présent,
médite mes oracles, et, si tu t'assures que je t'ai menti, je
veux bien alors que tu dises que j'ignore tout de l'art des
devins.

(Il sort. Œdipe rentre dans son palais.)

Animé[2].

LE CHŒUR. – *Quel est donc celui qu'à Delphes a désigné la
roche prophétique[3] comme ayant de sa main sanglante consommé
des forfaits passant tous les forfaits ?*

---

1. Je n'en serai pas plus chagrin : je n'en serai pas plus attristé.
2. Ici commence le premier *stasimon*.
3. Roche prophétique : le Parnasse, massif montagneux proche de Delphes,
qualifié de « prophétique » en raison de la présence du sanctuaire d'Apollon.

Voici l'heure pour lui de mouvoir dans sa fuite des jarrets plus robustes que ceux de ces cavales[1] qui luttent avec les vents.

490　Déjà sur lui le fils de Zeus[2] s'élance, armé de flammes et d'éclairs, et sur ses traces courent les déesses de mort[3], les terribles déesses qui jamais n'ont manqué leur proie.

Elle vient de luire, éclatante, la parole jaillie du Parnasse[4] neigeux. Elle veut que chacun se jette sur la piste du coupable incertain.

495　Déjà il va errant par la forêt sauvage, à travers grottes et rochers, tout comme un taureau[5].

Solitaire et misérable dans sa fuite misérable, il tâche d'échapper aux oracles sortis du centre de la terre[6]. Mais eux sont toujours là, volant autour de lui !

---

1. Cavales : mot de la langue poétique qui signifie « juments ». Le grec parle juste de chevaux, mais la traduction essaie de rendre le caractère poétique du passage.

2. Fils de Zeus : vraisemblablement Apollon, invoqué ici pour punir le criminel, comme dieu du châtiment foudroyant.

3. Déesses de mort : génies de la mort, les Kères, filles de la nuit, ont un aspect hideux, des ailes noires et le corps recouvert d'un manteau de sang humain. Elles sucent le sang des blessés et des morts sur le champ de bataille. Mais, dans l'*Iliade*, elles sont assimilées aux Parques, c'est-à-dire qu'elles personnifient le destin des hommes. Ici, elles sont invoquées dans une fonction qui les rapproche des Érinyes, divinités de la justice qui s'acharnent sur les coupables.

4. Parnasse : massif montagneux où est situé le sanctuaire de Delphes. La périphrase « parole jaillie du Parnasse » désigne donc l'oracle que la Pythie vient de délivrer à Créon.

5. La comparaison avec le taureau repose, soit sur l'image du taureau rendu fou quand il est piqué par un taon, soit sur le proverbe « Le taureau court les bois » (que l'on trouve chez le poète Théocrite, IIIe siècle av. J.-C.), qui s'applique aux bêtes ne rentrant pas à l'étable après s'être perdues.

6. Centre de la terre : expression qui traduit l'adjectif grec signifiant « qui est au nombril ». C'est une allusion à la légende de l'omphalos (le nombril), une pierre conique sacrée qui passait pour être le centre de la terre. Deux aigles envoyés par Zeus autour du monde, l'un en direction de l'ouest, l'autre de l'est, s'étaient rencontrés au niveau de cette pierre se trouvant précisément à Delphes. C'est pourquoi le sanctuaire de Delphes était considéré comme le centre de la terre, ou encore comme « le nombril du monde ».

Plus soutenu.

Sans doute il me trouble, me trouble étrangement, le sage
500 *devin. Je ne puis le croire ni le démentir. Que dire ? Je ne sais. Je*
flotte au vent de mes craintes et ne vois plus rien ni devant ni
derrière moi.

Quel grief pouvait exister, soit dans l'âme des Labdacides[1]*, soit*
dans celle du fils de Polybe[2] *? Ni dans le passé ni dans le présent,*
505 *je ne trouve la moindre preuve qui me force à partir en guerre*
contre le renom bien assis d'Œdipe, et à m'instituer, au nom des
Labdacides, le vengeur de tel ou tel meurtre incertain[3]*.*

Mais, si Zeus et si Apollon sont sans doute clairvoyants et s'ils
sont bien instruits du destin des mortels, parmi les hommes en
510 *revanche, un devin possède-t-il, lui, des dons supérieurs aux miens ?*
Rien ne l'atteste vraiment. Oui, un savoir humain
peut toujours en dépasser d'autres ; mais, tant que je n'aurai
pas vu se vérifier les dires de ses accusateurs, je me refuse à les
admettre[4]*.*

---

1. Labdacides (descendants de Labdacos) : famille de Laïos et d'Œdipe.

2. Fils de Polybe : périphrase désignant Œdipe, qui croit être le fils de Polybe, roi de Corinthe et son père nourricier.

3. Le Chœur se montre prudent et n'adhère pas aux accusations de Tirésias. La réputation d'Œdipe, à la fois grand roi et déchiffreur d'énigme, joue en sa faveur. Il est important que le Chœur soit du côté d'Œdipe pour que l'enquête continue, pour que l'incrédulité d'Œdipe soit vraisemblable. De plus, puisque le Chœur est persuadé qu'Œdipe ne connaissait pas les Labdacides avant son arrivée à Thèbes et vice versa, comment les deux familles pouvaient-elles avoir des griefs l'une envers l'autre ?

4. Dans toute cette tirade, le Chœur remet en question le pouvoir de divination et le savoir de Tirésias. Il semble convaincu par l'argumentation d'Œdipe dans sa confrontation avec le devin. Cette remise en question philosophique du savoir humain est un motif présent dans la poésie lyrique de Pindare (ve siècle av. J.-C.).

515   *Ce qui demeure manifeste, c'est que la Vierge ailée[1] un jour s'en prit à lui[2], et qu'il prouva alors et sa sagesse[3] et son amour pour Thèbes. Et c'est pourquoi jamais mon cœur ne lui imputera un crime.*

                               (Créon arrive par la droite[4].)

CRÉON. – On m'apprend, citoyens, que notre roi Œdipe
520 se répand contre moi en propos singuliers[5]. L'idée m'en est intolérable, et c'est pourquoi je suis ici. Si vraiment il s'imagine qu'à l'heure où nous nous trouvons je lui cause le moindre tort, soit en paroles, soit en actes, je ne souhaite plus de vivre davantage : tel décri[6] me pèserait trop. Des
525 dires de ce genre m'apportent plus qu'un simple préjudice : serait-il pour moi rien de pis que de passer pour un félon[7] dans ma cité, pour un félon à tes yeux ainsi qu'aux yeux de tous les miens ?

LE CHŒUR. – L'outrage a bien pu lui être arraché par la
530 colère plutôt qu'énoncé de sang-froid[8].

CRÉON. – Et la chose a été formellement dite : ce serait pour servir mes vues que le devin aurait énoncé ces mensonges ?

LE CHŒUR. – Oui, c'est bien là ce qu'il disait, mais dans quel esprit ? je l'ignore.

---

1. **Vierge ailée** : la Sphinx.
2. **S'en prit à lui** : le grec dit « est venue au devant de lui ». Il s'agit du moment où Œdipe a rencontré la Sphinx sur le chemin de Thèbes.
3. **Sagesse** : allusion à la résolution de l'énigme. Il s'agit d'une sagesse intellectuelle et non d'une sagesse morale.
4. Ici commence le deuxième épisode.
5. **Singuliers** : étranges.
6. **Décri** : perte de réputation.
7. **Pis** : plus mauvais, pire ; **félon** : traître, notamment déloyal envers son seigneur. Le mot grec signifie « mauvais, lâche, méchant ».
8. On voit ici le rôle modérateur du Chœur.

535 CRÉON. – Mais conservait-il le regard, le jugement d'un homme ayant sa tête, alors qu'il lançait cette accusation contre moi ?

LE CHŒUR. – Je ne sais pas[1] : je n'ai point d'yeux pour ce que font mes maîtres. Mais le voici qui sort à l'instant du
540 palais.

(Œdipe paraît sur son seuil[2].)

ŒDIPE. – Hé là ! que fais-tu donc ici ? Quoi ! tu as le front, insolent, de venir jusqu'à mon palais, assassin qui en veux clairement à ma vie, brigand visiblement avide de mon trône !... Mais, voyons, parle, au nom des dieux ! qu'as-tu saisi en moi –
545 lâcheté ou sottise ? – pour que tu te sois décidé à me traiter de cette sorte ? Ou pensais-tu que je ne saurais pas surprendre ton complot en marche, ni lui barrer la route, si je le surprenais ? La sottise est plutôt dans ton projet, à toi, toi qui, sans le peuple, toi qui, sans amis, pars à la conquête d'un trône que l'on n'a
550 jamais obtenu que par le peuple et par l'argent.

CRÉON. – Sais-tu ce que tu as à faire ? Tu as parlé : laisse-moi parler à mon tour, puis juge toi-même, une fois que tu m'auras entendu[3].

ŒDIPE. – Tu parles bien[4], mais moi, je t'entends mal. Je te
555 trouve à la fois hostile et inquiétant.

---

1. Le Chœur à deux reprises souligne son ignorance, attitude conforme à son rôle. Il ne peut intervenir dans l'action dramatique, il est un simple témoin qui réagit aux événements.
2. Ici commence un nouvel *agôn* à deux acteurs.
3. Nouvelle stichomythie, soit par groupe de deux vers, soit vers à vers.
4. **Tu parles bien** : en grec, littéralement : « tu es habile à parler » ; l'expression est donc ironique. Œdipe accuse plus ou moins Créon d'être l'équivalent de ce que seront les sophistes à Athènes, des maîtres de la parole manipulatrice. Paul Mazon rend l'ironie par l'opposition entre bien et mal, entre parler et entendre (au sens d'« écouter » et de « comprendre »).

CRÉON. — Sur ce point justement, commence par m'écouter.

ŒDIPE. — Sur ce point justement, ne commence pas par dire que tu n'es pas un félon.

560 CRÉON. — Si vraiment tu t'imagines qu'arrogance sans raison constitue un avantage, tu n'as plus alors ton bon sens.

ŒDIPE. — Si vraiment tu t'imagines qu'un parent qui trahit les siens n'en doit pas être châtié, tu as perdu aussi le sens.

565 CRÉON. — J'en suis d'accord. Rien de plus juste. Mais quel tort prétends-tu avoir subi de moi ? dis-le.

ŒDIPE. — Oui ou non, soutenais-tu que je devais envoyer quérir l'auguste[1] devin ?

CRÉON. — Et, à cette heure encore, je suis du même 570 avis.

ŒDIPE. — Dis-moi donc depuis quand votre roi Laïos…

CRÉON. — A fait quoi ? je ne saisis pas toute ta pensée.

ŒDIPE. — … a disparu, victime d'une agression mortelle.

CRÉON. — On compterait depuis beaucoup de longues et de 575 vieilles années[2].

ŒDIPE. — Notre devin déjà exerçait-il son art ?

CRÉON. — Oui, déjà aussi sage, aussi considéré.

ŒDIPE. — Parla-t-il de moi en cette occurrence ?

CRÉON. — Non, jamais, du moins devant moi.

580 ŒDIPE. — Mais ne fîtes-vous pas d'enquête sur le mort ?

CRÉON. — Si ! cela va de soi – sans aboutir à rien.

---

1. **Auguste** : signifie à la fois « vénérable » et « sacré ».
2. Toujours la même imprécision dans la temporalité tragique. L'important, c'est l'impression de l'éloignement temporel.

ŒDIPE. – Et pourquoi le sage devin ne parlait-il donc pas alors[1] ?

CRÉON. – Je ne sais. Ma règle est de me taire quand je n'ai pas d'idée.

ŒDIPE. – Ce que tu sais et ce que tu diras, si tu n'as pas du moins perdu le sens...

CRÉON. – Quoi donc ? Si je le sais, je ne cacherai rien.

ŒDIPE. – C'est qu'il ne m'eût jamais, sans accord avec toi[2], attribué la mort de Laïos.

CRÉON. – Si c'est là ce qu'il dit, tu le sais par toi-même. Je te demande seulement de répondre, toi, à ton tour, ainsi que je l'ai fait pour toi.

ŒDIPE. – Soit ! interroge-moi : ce n'est pas en moi qu'on découvrira l'assassin !

CRÉON. – Voyons : tu as bien épousé ma sœur.

ŒDIPE. – Il me serait bien malaisé d'aller prétendre le contraire.

CRÉON. – Tu règnes donc sur ce pays avec des droits égaux aux siens ?

ŒDIPE. – Et tout ce dont elle a envie, sans peine elle l'obtient de moi.

CRÉON. – Et n'ai-je pas, moi, part égale de votre pouvoir à tous deux ?

ŒDIPE. – Et c'est là justement que tu te révèles un félon !

---

1. Cette question est un argument fort avancé par Œdipe pour décrédibiliser le savoir de Tirésias. S'il connaissait le coupable, pourquoi Tirésias ne l'a-t-il pas dénoncé au moment de l'enquête ? Ce fait autorise la thèse du complot que va développer Œdipe.
2. Sans accord avec toi : Œdipe dénonce une entente complice entre les deux hommes, qui signale un complot politique.

CRÉON. – Mais non ! Rends-toi seulement compte de mon cas. Réfléchis à ceci d'abord : crois-tu que personne aimât mieux régner dans le tremblement sans répit, que dormir paisible tout en jouissant du même pouvoir ? Pour moi, je ne suis pas né avec le désir d'être roi, mais bien avec celui de vivre comme un roi. Et de même quiconque est doué de raison. Aujourd'hui, j'obtiens tout de toi, sans le payer d'aucune crainte : si je régnais moi-même, que de choses je devrais faire malgré moi ! Comment pourrais-je donc trouver le trône préférable à un pouvoir, à une autorité qui ne m'apportent aucun souci ? Je ne me leurre pas au point de souhaiter plus qu'honneur uni à profit. Aujourd'hui je me trouve à mon aise avec tous, aujourd'hui chacun me fête, aujourd'hui quiconque a besoin de toi vient me chercher jusque chez moi : pour eux, le succès est là tout entier. Et je lâcherais ceci pour cela ? Non, raison ne saurait devenir déraison. Jamais je n'eus de goût pour une telle idée. Et je n'aurais pas admis davantage de m'allier à qui aurait agi ainsi. La preuve ? Va à Pythô[1] tout d'abord, et demande si je t'ai rapporté exactement l'oracle. Après quoi, si tu peux prouver que j'aie comploté avec le devin, fais-moi mettre à mort : ce n'est pas ta voix seule qui me condamnera, ce sont nos deux voix, la mienne et la tienne. Mais ne va pas, sur un simple soupçon, m'incriminer sans m'avoir entendu. Il n'est pas équitable de prendre à la légère les méchants pour les bons, les bons pour les méchants. Rejeter un ami loyal, c'est en fait se priver d'une part de sa propre vie, autant dire de

---

1. **Pythô** : désigne l'oracle d'Apollon à Delphes, incarné par la *Pythie*, prêtresse chargée de délivrer le message du dieu ; voir note 2, p. 10.

ce qu'on chérit plus que tout. Mais cela, il faut du temps
pour l'apprendre de façon sûre. Le temps seul est capable de
montrer l'honnête homme, tandis qu'il suffit d'un jour pour
dévoiler un félon.

LE CHŒUR. – Qui prétend se garder d'erreur trouvera qu'il
a bien parlé. Trop vite décider n'est pas sans risque, roi[1].

ŒDIPE. – Quand un traître, dans l'ombre, se hâte vers moi,
je dois me hâter, moi aussi, de prendre un parti. Que je reste
là sans agir, voilà son coup au but et le mien manqué.

CRÉON. – Que souhaites-tu donc ? M'exiler du pays ?

ŒDIPE. – Nullement : c'est ta mort que je veux, ce n'est pas
ton exil.

CRÉON. – Mais montre-moi d'abord la raison de ta
haine.

ŒDIPE. – Tu prétends donc être rebelle ? Tu te refuses
à obéir ?

CRÉON. – Oui, quand je te vois hors de sens[2].

ŒDIPE. – J'ai le sens de mon intérêt.

CRÉON. – L'as-tu du mien aussi ?

ŒDIPE. – Tu n'es, toi, qu'un félon.

CRÉON. – Et si tu ne comprends rien ?

ŒDIPE. – N'importe ! obéis à ton roi.

CRÉON. – Pas à un mauvais roi.

ŒDIPE. – Thèbes ! Thèbes[3] !

CRÉON. – Thèbes est à moi autant qu'à toi.

---

1. Le Chœur, toujours modérateur et prudent, est du côté de la raison. Il est
convaincu cette fois par l'argumentation de Créon et se range à son avis.
2. Ici commence un passage de stichomythie, demi-vers par demi-vers.
3. Fin de la stichomythie.

LE CHŒUR. – Ô princes, arrêtez[1]!... Mais je vois Jocaste
660 sortir justement du palais. Il faut qu'elle vous aide à régler la
querelle qui vous a mis aux prises.

(Jocaste apparaît au seuil du palais
et s'interpose entre Œdipe et Créon[2].)

JOCASTE. – Malheureux! qu'avez-vous à soulever ici une
absurde guerre de mots[3]? N'avez-vous pas de honte, lorsque
votre pays souffre ce qu'il souffre, de remuer ici vos rancunes
665 privées? *(À Œdipe.)* Allons, rentre au palais. Et toi chez toi,
Créon. Ne faites pas d'un rien une immense douleur.

CRÉON. – C'est ton époux, ma sœur, c'est Œdipe, qui
prétend me traiter d'une étrange façon et décider lui-même
s'il me chassera de Thèbes ou m'arrêtera pour me mettre
670 à mort.

ŒDIPE. – Parfaitement! Ne l'ai-je pas surpris en train de
monter criminellement contre ma personne une intrigue
criminelle?

CRÉON. – Que toute chance m'abandonne[4] et que je meure
675 à l'instant même sous ma propre imprécation[5], si j'ai jamais
fait contre toi rien de ce dont tu m'accuses!

JOCASTE. – Au nom des dieux, Œdipe, sur ce point-là,
crois-le. Respecte sa parole – les dieux en sont garants –,
respecte-moi aussi, et tous ceux qui sont là.

---

1. Les deux hommes en seraient-ils venus aux mains si le Chœur ne les avait pas
arrêtés? Une mise en scène moderne pourrait creuser cette piste.
2. Ici commence une scène à trois acteurs. C'est à Sophocle que l'on doit l'ajout
d'un troisième acteur sur scène.
3. Guerre de mots: parfaite définition de ce qu'est un *agôn*.
4. Que toute chance m'abandonne: formule à valeur imprécatoire.
5. Imprécation: prière solennelle appelant le malheur sur quelqu'un.

Assez agité.

580 LE CHŒUR. – *Cède à sa prière, montre bon vouloir, reprends ton sang-froid, je t'en prie, seigneur[1] !*

ŒDIPE. – Alors que dois-je t'accorder ?

LE CHŒUR. – *Respecte ici un homme qui jamais ne fut fou, et qu'aujourd'hui son serment rend sacré.*

585 ŒDIPE. – Mais sais-tu bien ce que tu souhaites ?

LE CHŒUR. – Je le sais.

ŒDIPE. – Eh bien ! dis ce que tu veux dire.

LE CHŒUR. – *C'est ton parent ; un serment le protège : ne lui fais pas l'affront de l'accuser sur un simple soupçon.*

590 ŒDIPE. – Voilà donc ce que tu demandes ! En ce cas, sache-le bien, tu veux ma mort, ou mon exil.

LE CHŒUR. – *Non, j'en prends à témoin le dieu qui prime tous les dieux, j'en prends à témoin le Soleil[2], que je périsse ici dans les derniers supplices, abandonné des dieux, abandonné des miens, si j'ai telle pensée !*

595 *Mais ce pays qui meurt désole mon âme, si je dois voir maintenant s'ajouter aux maux d'hier des maux qui viennent de vous deux.*

ŒDIPE. – Eh bien soit ! qu'il parte ! dussé-je périr à coup sûr, ou me voir expulsé par force et ignominieusement de Thèbes. C'est ton langage[3] qui me touche ; il m'apitoie, 600 et non le sien. Où qu'il soit, il sera, lui, l'objet de ma haine.

---

1. L'italique signale que certaines des répliques de cette scène sont chantées.
2. Soleil : en grec Hélios, représentation divine du soleil, de sa chaleur et de sa lumière. Ici, il est considéré comme le père de tous les dieux, en tant que force vitale, alors qu'ordinairement, il occupe une place modeste dans le panthéon grec. Si le Chœur invoque le soleil plutôt que Zeus, c'est sans doute parce que la ville se meurt et qu'il lui faut retrouver l'énergie de la vie, incarnée par Hélios.
3. Ton langage : les propos du Chœur. Le singulier s'explique parce que c'est sans doute le coryphée qui parle seul au nom de tous les choreutes. Œdipe est touché par ces propos, ce qui confirme qu'il y avait bien ici un passage lyrique, chargé de susciter l'émotion.

CRÉON. — Tu cèdes la rage au cœur, on le voit, pour être ensuite tout confus, quand ton courroux sera tombé. Des caractères comme le tien sont surtout pénibles à eux-mêmes, et c'est bien justice.

705 ŒDIPE. — Vas-tu donc me laisser en paix et t'en aller !

CRÉON. — Je m'en vais, tu m'auras méconnu ; mais pour eux je reste l'homme que j'étais.

(Il s'éloigne par la gauche.)

Assez agité.

LE CHŒUR. — *Que tardes-tu, femme, à l'emmener chez lui ?*

JOCASTE. — Je veux savoir d'abord ce qui est arrivé.

710 LE CHŒUR. — *Une idée qu'on s'est faite sur des mots mal compris. Mais on se pique aussi d'un injuste reproche.*

JOCASTE. — Tous deux sont responsables, alors ?

LE CHŒUR. — Oui.

JOCASTE. — Mais quel était donc le propos ?

715 LE CHŒUR. — *C'est assez, bien assez, quand Thèbes souffre déjà tant, d'en rester où finit l'affaire.*

ŒDIPE. — Tu vois à quoi tu aboutis, malgré ta bonne intention, en faisant ainsi fléchir et en émoussant mon courroux ?

LE CHŒUR. — *Ô roi, je te l'ai dit plus d'une fois déjà, je me* 720 *montrerais, sache-le, insensé, privé de raison, si je me détachais de toi.*

C'est toi qui, quand ma cité était en proie aux traverses, as su la remettre dans le sens du vent : aujourd'hui encore, si tu peux, pour elle sois le bon pilote.

725 JOCASTE. — Au nom des dieux, dis-moi, seigneur, ce qui a bien pu, chez toi, soulever pareille colère.

ŒDIPE. – Oui, je te le dirai. Je te respecte, toi, plus que tous ceux-là. C'est Créon, c'est le complot qu'il avait formé contre moi.

730 JOCASTE. – Parle, que je voie si tu peux exactement dénoncer l'objet de cette querelle.

ŒDIPE. – Il prétend que c'est moi qui ai tué Laïos.

JOCASTE. – Le sait-il par lui-même ? Ou le tient-il d'un autre ?

ŒDIPE. – Il nous a dépêché un devin – un coquin[1]. Pour
735 lui, il garde sa langue toujours libre d'imprudence.

JOCASTE. – Va, absous-toi toi-même du crime dont tu parles, et écoute-moi. Tu verras que jamais créature humaine ne posséda rien de l'art de prédire[2]. Et je vais t'en donner la preuve en peu de mots. Un oracle arriva jadis à Laïos, non
740 d'Apollon lui-même, mais de ses serviteurs[3]. Le sort qu'il avait à attendre était de périr sous le bras d'un fils qui naîtrait de lui et de moi. Or Laïos, dit la rumeur publique, ce sont des brigands étrangers qui l'ont abattu, au croisement de deux chemins[4] ; et d'autre part, l'enfant une fois né,

---

1. Un devin – un coquin : ces propos d'Œdipe contrastent fortement avec ceux qu'il avait d'abord émis lors de sa rencontre avec Tirésias. La remise en question des pouvoirs de Tirésias continue de plus belle.

2. Jocaste va à son tour argumenter contre les pouvoirs divinatoires de Tirésias, forte, croit-elle, de son expérience avec l'oracle de Delphes.

3. Mais de ses serviteurs : cette indication est importante. Jocaste, comme Œdipe avant elle, ne remet pas en question les dieux mais ceux qui se disent messagers des dieux, autrement dit les oracles et les devins.

4. Au croisement de deux chemins : ici, sans le savoir, Jocaste livre une information attestée qui va tout changer. L'indication peut paraître peu singulière. Si cette indication va intriguer Œdipe, c'est parce qu'en réalité il s'agit d'un croisement en y. Le grec dit en effet : « au point de *rencontre* de trois chemins ». Il s'agit donc d'un carrefour en forme de y ou de fourche (qui fait trois chemins), forme plus rare que le croisement de deux routes (qui fait quatre chemins).

745 trois jours ne s'étaient pas écoulés, que déjà Laïos, lui liant les talons, l'avait fait jeter sur un mont désert. Là aussi, Apollon ne put faire ni que le fils tuât son père, ni que Laïos, comme il le redoutait, pérît par la main de son fils[1]. C'était bien pourtant le destin que des voix prophétiques nous

750 avaient signifié! De ces voix-là ne tiens donc aucun compte. Les choses dont un dieu poursuit l'achèvement, il saura bien les révéler lui-même.

ŒDIPE. – Ah! comme à t'entendre, je sens soudain, ô femme, mon âme qui s'égare, ma raison qui chancelle[2]!

755 JOCASTE. – Quelle inquiétude te fait soudainement regarder en arrière?

ŒDIPE. – Tu as bien dit ceci : Laïos aurait été tué au croisement de deux chemins?

JOCASTE. – On l'a dit alors, on le dit toujours.

760 ŒDIPE. – Et en quel pays se place l'endroit où Laïos aurait subi ce sort?

JOCASTE. – Le pays est la Phocide[3]; le carrefour est celui où se joignent les deux chemins qui viennent de Delphes et de Daulia[4].

---

1. Le raisonnement de Jocaste est simple : les faits réels ont démenti la prophétie, donc les oracles ne sont pas fiables. Elle procède par déduction : une exception suffit à invalider tout le système. Ce qu'elle ne sait pas, c'est qu'Œdipe n'est pas mort et que Laïos n'a pas été tué par un brigand. Jocaste, pourtant forte de sa raison, est dans l'illusion la plus totale. Elle croit savoir, alors qu'elle ne sait rien.
2. Cette réplique est le premier moment du long chemin vers la vérité pour Œdipe. Jusqu'ici il était un enquêteur extérieur ; à partir de ce vers, il devient celui qui se cherche lui-même.
3. La Phocide jouxte la Béotie par le nord. C'est la région où se situe Delphes.
4. Il y a donc deux routes : Daulia-Delphes et Thèbes-Delphes. Les deux se croisent au fameux carrefour où Œdipe rencontre son père, Œdipe venant de Delphes, Laïos s'y rendant. Personne n'allait à Daulia, mais cette cité sert de point de repère pour identifier le carrefour fatal.

765 ŒDIPE. – Et combien de temps se serait-il passé depuis l'événement ?

JOCASTE. – C'est un peu avant le jour où fut reconnu ton pouvoir sur Thèbes que la nouvelle en fut apportée ici.

ŒDIPE. – Ah ! que songes-tu donc, Zeus, à faire de moi ?

770 JOCASTE. – Quel est le souci qui te tient, Œdipe ?

ŒDIPE. – Attends encore un peu pour m'interroger. Et Laïos, quelle était son allure ? quel âge portait-il ?

JOCASTE. – Il était grand. Les cheveux sur son front commençaient à blanchir. Son aspect n'était pas très éloigné 775 du tien.

ŒDIPE. – Malheureux ! je crains bien d'avoir, sans m'en douter, lancé contre moi-même tout à l'heure d'étranges malédictions.

JOCASTE. – Que dis-tu, seigneur ? Je tremble à te regarder.

780 ŒDIPE. – Je perds terriblement courage à l'idée que le devin ne voie trop clair. Tu achèveras de me le prouver d'un seul mot encore.

JOCASTE. – Certes j'ai peur aussi ; mais apprends-moi ce que tu veux savoir et je te répondrai.

785 ŒDIPE. – Laïos allait-il en modeste équipage ? ou entouré de gardes en nombre, ainsi qu'il convient à un souverain ?

JOCASTE. – Ils étaient cinq en tout, dont un héraut[1]. Un chariot portait Laïos.

---

1. Héraut : personnage de condition libre et souvent de sang royal chargé de la police des assemblées, des fêtes religieuses, mais aussi des messages royaux. Au sens propre, le héraut est celui qui annonce quelque chose à haute voix.

ŒDIPE. – Ah ! cette fois tout est clair[1] !... Mais qui vous a
790 fait le récit, ô femme ?

JOCASTE. – Un serviteur, le seul survivant du voyage.

ŒDIPE. – Est-il dans le palais, à l'heure où nous sommes ?

JOCASTE. – Non, sitôt de retour, te trouvant sur le trône et
voyant Laïos mort, le voilà qui me prend la main, me supplie
795 de le renvoyer à ses champs, à la garde de ses bêtes. Il voulait
être désormais le plus loin possible de Thèbes. Je le laissai
partir. Ce n'était qu'un esclave, mais qui méritait bien cela, et
mieux encore.

ŒDIPE. – Pourrait-on nous le faire revenir au plus vite ?

800 JOCASTE. – On le peut. Mais pourquoi désires-tu si ardem-
ment sa présence ?

ŒDIPE. – Je crains pour moi, ô femme, je crains d'avoir
trop parlé[2]. Et c'est pourquoi je veux le voir.

JOCASTE. – Il viendra. Mais moi aussi, ne mérité-je pas
805 d'apprendre ce qui te tourmente, seigneur ?

ŒDIPE. – Je ne saurais te dire non : mon anxiété est trop
grande. Quel confident plus précieux pourrais-je donc avoir
que toi, au milieu d'une telle épreuve ? Mon père est Polybe
– Polybe de Corinthe. Mérope, ma mère, est une Dorienne.
810 J'avais le premier rang là-bas, parmi les citoyens, lorsque
survint un incident, qui méritait ma surprise sans doute, mais
ne méritait pas qu'on le prît à cœur comme je le pris. Pendant

---

1. Œdipe apprend ici une partie de la vérité : c'est lui qui a tué Laïos. Mais il ne
sait pas encore que Laïos était son père. Cependant, un espoir lui reste si le
serviteur confirme que ce sont plusieurs hommes qui ont tué Laïos. Dans ce cas,
Œdipe pourrait croire que les deux meurtres n'ont rien à voir, malgré la similitude de la rencontre.
2. Allusion à l'ordre solennel qu'il a donné : punir d'exil le meurtrier de Laïos.
Il comprend qu'il s'est condamné lui-même.

un repas, au moment du vin, dans l'ivresse, un homme m'appelle « enfant supposé ». Le mot me fit mal ; j'eus peine ce
815 jour-là à me contenir, et dès le lendemain j'allai questionner
mon père et ma mère. Ils se montrèrent indignés contre
l'auteur du propos ; mais, si leur attitude en cela me satisfit,
le mot n'en cessait pas moins de me poindre[1] et faisait son
chemin peu à peu dans mon cœur. Alors, sans prévenir mon
820 père ni ma mère, je pars pour Pythô[2] ; et là Phœbos[3] me
renvoie sans même avoir daigné répondre à ce pour quoi
j'étais venu, mais non sans avoir en revanche prédit à l'infortuné que j'étais le plus horrible, le plus lamentable destin :
j'entrerais au lit de ma mère, je ferais voir au monde une race
825 monstrueuse, je serais l'assassin du père dont j'étais né ! Si
bien qu'après l'avoir entendu, à jamais, sans plus de façons, je
laisse là Corinthe et son territoire, je m'enfuis vers des lieux
où je ne pusse voir se réaliser les ignominies[4] que me prédisait l'effroyable oracle. Et voici qu'en marchant j'arrive à
830 l'endroit même où tu prétends que ce prince aurait péri… Eh
bien ! à toi, femme, je dirai la vérité tout entière. Au moment
où, suivant ma route, je m'approchais du croisement des deux
chemins, un héraut[5], puis, sur un chariot attelé de pouliches,
un homme tout pareil à celui que tu me décris, venaient à ma
835 rencontre. Le guide, ainsi que le vieillard lui-même, cherche
à me repousser de force. Pris de colère, je frappe, moi, celui
qui me prétend écarter de ma route, le conducteur. Mais le

---

1. Poindre : piquer comme le fait une pointe.
2. Pythô : désigne l'oracle d'Apollon à Delphes, incarné par la *Pythie*, prêtresse chargée de délivrer le message du dieu ; voir note 2, p. 10.
3. Phœbos : surnom d'Apollon signifiant « le Brillant » ; voir note 3, p. 10.
4. Ignominies : horreurs d'un point de vue moral.
5. Héraut : messager ; voir note 1, p. 43.

vieux me voit, il épie l'instant où je passe près de lui et de son chariot il m'assène en pleine tête un coup de son double fouet.

840 Il paya cher ce geste-là ! En un moment, atteint par le bâton que brandit cette main, il tombe à la renverse et du milieu du chariot il s'en va rouler à terre – et je les tue tous… Si quelque lien existe entre Laïos et cet inconnu, est-il à cette heure un mortel plus à plaindre que celui que tu vois ? Est-il homme

845 plus abhorré[1] des dieux ? Étranger, citoyen, personne ne peut plus me recevoir chez lui, m'adresser la parole, chacun me doit écarter de son seuil. Bien plus, c'est moi-même qui me trouve aujourd'hui avoir lancé contre moi-même les imprécations[2] que tu sais. À l'épouse du mort j'inflige une souillure, quand

850 je la prends entre ces bras qui ont fait périr Laïos ! Suis-je donc pas un criminel ? suis-je pas tout impureté ? puisqu'il faut que je m'exile, et qu'exilé je renonce à revoir les miens, à fouler de mon pied le sol de ma patrie ; sinon, je devrais tout ensemble entrer dans le lit de ma mère et devenir l'assassin de mon père,

855 ce Polybe qui m'a engendré et nourri. Est-ce donc pas un dieu cruel qui m'a réservé ce destin ? On peut le dire, et sans erreur. Ô sainte majesté des dieux, non, que jamais je ne voie ce jour-là ! Ah ! que plutôt je parte et que je disparaisse du monde des humains avant que la tache d'un pareil malheur

860 soit venue souiller mon front !

LE CHŒUR. – Tout cela, je l'avoue, m'inquiète, seigneur. Mais tant que tu n'as pas entendu le témoin, conserve bon espoir.

ŒDIPE. – Oui, mon espoir est là : attendre ici cet homme, ce berger – rien de plus.

---

1. Abhorré : détesté.
2. Imprécations : prières solennelles appelant le malheur sur quelqu'un.

JOCASTE. – Mais pourquoi tel désir de le voir apparaître ?

ŒDIPE. – Pourquoi ? Voici pourquoi : que nous le retrouvions disant ce que tu dis, et je suis hors de cause.

JOCASTE. – Et quels mots si frappants ai-je donc pu te dire ?

ŒDIPE. – C'étaient des brigands, disais-tu, qui avaient, selon lui, tué Laïos. Qu'il répète donc ce pluriel, et ce n'est plus moi l'assassin : un homme seul ne fait pas une foule. Au contraire, s'il parle d'un homme, d'un voyageur isolé, voilà le crime qui retombe clairement sur mes épaules.

JOCASTE. – Mais non, c'est cela, sache-le, c'est cela qu'il a proclamé ; il n'a plus le moyen de le démentir : c'est la ville entière, ce n'est pas moi seule qui l'ai entendu. Et, en tous cas, même si d'aventure il déviait de son ancien propos, il ne prouverait pas pour cela, seigneur, que son récit du meurtre est cette fois le vrai, puisqu'aussi bien ce Laïos devait, d'après Apollon, périr sous le bras de mon fils, et qu'en fait ce n'est pas ce malheureux fils qui a pu lui donner la mort, attendu qu'il est mort lui-même le premier. De sorte que désormais, en matière de prophéties, je ne tiendrai pas plus de compte de ceci que de cela.

ŒDIPE. – Tu as raison ; mais, malgré tout, envoie quelqu'un qui nous ramène ce valet. N'y manque pas.

JOCASTE. – J'envoie à l'instant même. Mais rentrons chez nous. Il n'est rien qui te plaise, que je ne sois, moi, prête à faire.

(Ils rentrent ensemble dans le palais.)

Modéré[1].

890 LE CHŒUR. – *Ah ! fasse le Destin*[2] *que toujours je conserve la sainte pureté dans tous mes mots, dans tous mes actes. Les lois*[3] *qui leur commandent*

siégent dans les hauteurs : elles sont nées dans le céleste éther[4], *et l'Olympe*

895 *est leur seul père ; aucun être mortel ne leur donna le jour ; jamais l'oubli ne les endormira : un dieu puissant est en elles, un dieu*[5] *qui ne vieillit pas.*

La démesure[6] *enfante le tyran. Lorsque la démesure s'est gavée follement, sans souci de l'heure ni de son intérêt,*

900 *et lorsqu'elle est montée au plus haut, sur le faîte*[7], *la voilà soudain qui s'abîme dans un précipice fatal,*

où dès lors ses pieds brisés se refusent à la servir. Or, c'est la lutte glorieuse pour le salut de la cité qu'au contraire je demande à Dieu de ne voir jamais s'interrompre : Dieu[8] *est ma sauvegarde et le sera*

905 *toujours.*

Celui en revanche qui va son chemin, étalant son orgueil dans ses gestes et ses mots, sans crainte de la Justice, sans respect des temples divins, celui-là, je le voue à un sort douloureux qui châtie son orgueil funeste,

---

1. Ici commence le deuxième *stasimon*.

2. Destin : en grec *Moira*, destinée personnifiée. À côté du singulier existe le pluriel, les Moires, trois déesses qui incarnent le destin.

3. Les lois : allégorie qui fait des lois morales des divinités.

4. Éther : région supérieure de l'air, considérée comme la plus pure.

5. Ce n'est pas un dieu personnifié qui est évoqué ici mais plutôt une puissance divine.

6. Démesure : en grec *hubris*, mot clé des tragédies grecques.

7. Faîte : sommet.

8. Il vaudrait mieux traduire par « le dieu », comme puissance divine générale.

910   *du jour qu'il se révèle apte à ne rechercher que profits criminels,*
sans même reculer devant le sacrilège, à porter follement les mains sur
ce qui est inviolable.

    Est-il en pareil cas personne qui puisse se flatter d'écarter de son
âme les traits de la colère ? Si ce sont de pareilles mœurs que
915   *l'on honore désormais, quel besoin ai-je vraiment de former ici*
des chœurs ?

    Non, je n'irai plus vénérer le centre auguste de la terre[1]*, je n'irai*
plus aux sanctuaires ni d'Abæ ni d'Olympie[2]*, si tous les humains ne*
sont pas d'accord pour flétrir de telles pratiques.

920   *Ah ! Zeus souverain, puisque, si ton renom dit vrai, tu es*
maître de l'Univers, ne permets pas qu'elles échappent à tes
regards, à ta puissance éternelle.

    Ainsi donc on tient pour caducs[3] *et l'on prétend abolir les*
oracles rendus à l'antique Laïos ! Apollon se voit privé ouverte-
925   *ment de tout honneur. Le respect des dieux s'en va.*

                 (Jocaste sort du palais avec des servantes
                 portant des fleurs et des vases à parfum[4]*.)*

JOCASTE. – Chefs de ce pays, l'idée m'est venue d'aller
dans les temples des dieux leur porter de mes mains ces
guirlandes, ces parfums. Œdipe laisse ses chagrins ébranler
un peu trop son cœur. Il ne sait pas juger avec sang-froid
930 du présent par le passé. Il appartient à qui lui parle,
lorsqu'on lui parle de malheur. Puis donc que[5] mes conseils

---

1. **Le centre auguste de la terre** : l'omphalos ; voir note 6, p. 30.
2. **Abæ, Olympie** : célèbres sanctuaires d'Apollon en Phocide et de Zeus en Élide.
3. **Caducs** : invalidés, périmés.
4. Ici commence le troisième épisode.
5. **Puis donc que** : donc puisque.

n'obtiennent rien de lui, c'est vers toi que je me tourne, ô dieu Lycien[1], Apollon, notre voisin. Je viens à toi en suppliante, porteuse de nos vœux. Fournis-nous un remède contre toute souillure[2]. Nous nous inquiétons, à voir Œdipe en désarroi, alors qu'il tient dans ses mains la barre de notre vaisseau.

935

(Un Vieillard arrive par la gauche.)

LE CORINTHIEN. – Étrangers, pourrais-je savoir où donc est le palais d'Œdipe, votre roi ? Ou, mieux encore, si vous savez où lui-même se trouve, dites-le moi.

940

LE CHŒUR. – Voici sa demeure, et tu l'y trouveras en personne, étranger. La femme que tu vois là est la mère de ses enfants.

LE CORINTHIEN. – Qu'elle soit heureuse à jamais au milieu d'enfants heureux, puisqu'elle est pour Œdipe une épouse accomplie !

945

JOCASTE. – Qu'il en soit de même pour toi, étranger : ta courtoisie vaut bien cela. Mais explique-moi ce pour quoi tu viens, ce dont tu dois nous informer.

LE CORINTHIEN. – C'est un bonheur, pour ta maison, ô femme, comme pour ton époux.

950

JOCASTE. – Que dis-tu ? Et d'abord de chez qui nous viens-tu ?

LE CORINTHIEN. – J'arrive de Corinthe. La nouvelle que je t'apporte va sans doute te ravir – le contraire serait impossible – mais peut-être aussi t'affliger.

955

JOCASTE. – Qu'est-ce donc ? et comment a-t-elle ce double pouvoir ?

---

1. **Dieu Lycien** : périphrase désignant Apollon ; voir note 5, p. 17.
2. On voit à nouveau l'appel à Apollon comme dieu guérisseur.

LE CORINTHIEN. – Les gens du pays, disait-on là-bas, insti-
tueraient Œdipe roi de l'Isthme[1].

960 JOCASTE. – Quoi ! et le vieux Polybe ? n'est-il plus sur le trône ?

LE CORINTHIEN. – Non, la mort le tient au tombeau.

JOCASTE. – Que dis-tu là ? Polybe serait mort ?

LE CORINTHIEN. – Que je meure moi-même, si je ne dis pas vrai !

JOCASTE – Esclave, rentre vite porter la nouvelle au maître.
965 Ah ! oracles divins, où êtes-vous donc à cette heure ? Ainsi
voilà un homme qu'Œdipe fuyait depuis des années, dans la
terreur qu'il avait de le tuer, et cet homme aujourd'hui meurt
frappé par le sort, et non pas par Œdipe !

(Œdipe sort du palais.)

ŒDIPE. – Ô très chère femme, Jocaste que j'aime, pourquoi
970 m'as-tu fait chercher dans le palais ?

JOCASTE. – Écoute l'homme qui est là, et vois en l'écoutant
ce que sont devenus ces oracles augustes d'un dieu[2].

ŒDIPE. – Cet homme, qui est-il ? et qu'a-t-il à me dire ?

JOCASTE. – Il vient de Corinthe et te fait savoir que Polybe
975 n'est plus : la mort a frappé ton père.

ŒDIPE. – Que dis-tu, étranger ? Explique-toi toi-même.

LE CORINTHIEN. – S'il me faut tout d'abord te rendre un
compte exact, sache bien qu'en effet Polybe a disparu.

ŒDIPE. – Victime d'un complot ou d'une maladie ?

980 LE CORINTHIEN. – Le moindre heurt suffit pour mettre
un vieux par terre.

---

1. L'**Isthme** : isthme de Corinthe, étroite bande de terre reliant l'Attique au
Péloponnèse.
2. Jocaste prononce cette phrase sur un ton méprisant, car, à ses yeux, le fait que
Polybe ne soit pas mort de la main de son « fils » Œdipe confirme l'inutilité des
oracles et leur manque de fiabilité.

ŒDIPE. – Le malheureux, si je t'en crois, serait donc mort de maladie ?

LE CORINTHIEN. – Et des longues années aussi qu'il a vécues.

985 ŒDIPE. – Ah ! femme, qui pourrait désormais recourir à Pythô[1], au foyer prophétique ? ou bien à ces oiseaux[2] criaillant sur nos têtes ? D'après eux, je devais assassiner mon père : et voici mon père mort, enseveli dans le fond d'un tombeau, avant que ma main ait touché aucun fer !... à moins qu'il ne 990 soit mort du regret de ne plus me voir ? ce n'est qu'en ce sens qu'il serait mort par moi. – Le fait certain, c'est qu'à cette heure Polybe est dans les Enfers avec tout ce bagage d'oracles sans valeur.

JOCASTE. – N'était-ce donc pas là ce que je te disais depuis 995 bien longtemps[3] ?

ŒDIPE. – Assurément, mais la peur m'égarait.

JOCASTE. – Alors ne te mets plus rien en tête pour eux.

ŒDIPE. – Et comment ne pas craindre la couche de ma mère ?

1000 JOCASTE. – Et qu'aurait donc à craindre un mortel, jouet du destin, qui ne peut rien prévoir de sûr ? Vivre au hasard[4], comme on le peut, c'est de beaucoup le mieux encore. Ne redoute pas l'hymen d'une mère : bien des mortels ont déjà

---

1. Pythô : désigne l'oracle d'Apollon à Delphes, incarné par la *Pythie*, prêtresse chargée de délivrer le message du dieu ; voir note 2, p. 10.

2. Oiseaux : de l'observation des oiseaux on tirait des présages ; voir note 3, p. 9.

3. Jocaste triomphe, mais pas pour longtemps, car c'est elle qui va comprendre avant Œdipe l'illusion dans laquelle ils se trouvent tous les deux.

4. Jocaste emploie deux mots pour souligner le caractère aléatoire de l'existence humaine : destin (*tuchê*) et hasard (*eikê*). Ces deux mots ont un sens différent. *Tuchê* personnifie le hasard, bon ou mauvais ; il s'oppose à *moira*, le destin tracé par les dieux ; *eikê* se rattache à l'idée d'apparence. Mais les deux mots font référence au caractère insondable de la destinée humaine, inaccessible à notre compréhension. Cela confirme l'inutilité des oracles selon Jocaste.

dans leurs rêves partagé le lit maternel[1]. Celui qui attache le
moins d'importance à pareilles choses est aussi celui qui
supporte le plus aisément la vie.

ŒDIPE. – Tout cela serait fort bon, si ma mère n'était
vivante. Mais tant qu'elle vit, tu auras beau parler, et bien
parler, fatalement, moi, je dois craindre.

JOCASTE. – C'est un immense allègement pourtant que de
savoir ton père dans la tombe.

ŒDIPE. – Immense, je le sens. Mais la vivante ne m'en fait
pas moins peur.

LE CORINTHIEN. – Mais quelle est donc, dis-moi, la femme
qui vous cause une telle épouvante ?

ŒDIPE. – C'est Mérope, vieillard, l'épouse de Polybe.

LE CORINTHIEN. – Et d'où provient la peur qu'elle t'inspire ?

ŒDIPE. – D'un oracle des dieux effroyable, étranger.

LE CORINTHIEN. – Peux-tu le dire ? ou bien doit-il rester
secret ?

ŒDIPE. – Nullement. Loxias[2] m'a déclaré jadis que je
devais entrer dans le lit de ma mère et verser de mes mains le
sang de mon père. C'est pourquoi depuis longtemps je m'étais
fixé bien loin de Corinthe – pour mon bonheur, sans doute,
bien qu'il soit doux de voir les yeux de ses parents.

LE CORINTHIEN. – Et c'est cette crainte seule qui te tenait
loin de ta ville ?

ŒDIPE. – Je ne voulais pas être parricide, vieillard.

LE CORINTHIEN. – Pourquoi ai-je donc tardé à t'en délivrer plus
tôt, roi, puisqu'aussi bien j'arrive ici tout disposé à t'être utile ?

---

1. Phrase fondamentale qui fonde l'interprétation psychanalytique du mythe
d'Œdipe.
2. Loxias : surnom d'Apollon signifiant « l'Oblique » ; voir note 2, p. 21.

ŒDIPE. – Ma foi ! tu en auras le prix que tu mérites.

LE CORINTHIEN. – Ma foi ! c'est justement pourquoi je suis venu, pour que ton retour au pays me procure quelque avantage.

1035 ŒDIPE. – Non, ne compte pas que jamais je rejoigne mes parents.

LE CORINTHIEN. – Ah ! comme on voit, mon fils, que tu ne sais pas quelle est ton erreur !

ŒDIPE. – Que dis-tu, vieillard ? Au nom des dieux, 1040 éclaire-moi.

LE CORINTHIEN. – Si ce sont là tes raisons pour renoncer à ton retour...

ŒDIPE. – J'ai bien trop peur que Phœbos[1] ne se révèle véridique.

1045 LE CORINTHIEN. – Tu crains une souillure auprès de tes parents ?

ŒDIPE. – C'est bien là, vieillard, ce qui m'obsède.

LE CORINTHIEN. – Alors tu ne sais pas que tu crains sans raison.

1050 ŒDIPE. – Comment est-ce possible, si je suis bien né d'eux ?

LE CORINTHIEN. – Sache donc que Polybe ne t'est rien par le sang.

ŒDIPE. – Quoi ! ce n'est pas Polybe qui m'aurait engendré ?

LE CORINTHIEN. – Polybe ne t'a pas engendré plus que moi.

1055 ŒDIPE. – Quel rapport entre un père et toi qui ne m'es rien ?

LE CORINTHIEN. – Pas plus lui que moi-même jamais ne fut ton père.

---

1. Phœbos : surnom d'Apollon signifiant « le Brillant » ; voir note 3, p. 10.

ŒDIPE. – Et pourquoi donc alors me nommait-il son fils ?

1060 LE CORINTHIEN. – C'est qu'il t'avait reçu comme un don de mes mains.

ŒDIPE. – Et pour l'enfant d'un autre il eut cette tendresse ?

LE CORINTHIEN. – Les enfants lui avaient manqué un si long temps.

1065 ŒDIPE. – Tu m'avais acheté, ou rencontré, toi-même ?

LE CORINTHIEN. – Oui, trouvé dans un val du Cithéron[1] boisé.

ŒDIPE. – Pourquoi voyageais-tu dans cette région ?

LE CORINTHIEN. – Je gardais là des troupeaux transhumants[2].

ŒDIPE. – Ah ! tu étais berger nomade, mercenaire…

1070 LE CORINTHIEN. – Mais qui sauva ta vie, mon fils, en ce temps-là !

ŒDIPE. – Quel était donc mon mal, quand tu m'as recueilli en pareille détresse ?

LE CORINTHIEN. – Tes pieds pourraient sans doute en 1075 témoigner encore.

ŒDIPE. – Ah ! pourquoi rappeler mon ancienne misère ?

LE CORINTHIEN. – C'est moi qui dégageai tes deux pieds transpercés[3].

ŒDIPE. – Dieux ! quelle étrange honte autour de mon berceau !

1080 LE CORINTHIEN. – Tu lui as dû un nom tiré de l'aventure[4].

ŒDIPE. – Mais cela, qui l'avait voulu ? Mon père ? ma mère ? par les dieux, dis-le.

---

1. Cithéron : montagne où Œdipe enfant a été abandonné ; voir note 2, p. 27.
2. Troupeaux transhumants : les troupeaux qui sont dans les prairies monta-gneuses à la belle saison.
3. Avant de l'abandonner sur le Cithéron, on avait percé les chevilles d'Œdipe pour attacher ses pieds, qui restèrent enflés, d'où le nom Œdipe qui, en grec, signifie « Pieds Enflés ».
4. Ce vers confirme l'interprétation étymologique du nom d'Œdipe.

LE CORINTHIEN. – Je ne sais ; mais celui qui te mit en mes mains sait cela mieux que moi.

1085 ŒDIPE. – Ce n'est donc pas toi qui m'avais trouvé ? Tu me tenais d'un autre ?

LE CORINTHIEN. – Oui, un autre berger t'avait remis à moi.

ŒDIPE. – Qui est-ce ? le peux-tu désigner clairement ?

LE CORINTHIEN. – Il était sans nul doute des gens de Laïos.

1090 ŒDIPE. – Du prince qui régnait sur ce pays jadis ?

LE CORINTHIEN. – Parfaitement, c'était un berger de ce roi.

ŒDIPE. – Est-il vivant encore, que je puisse le voir ?

LE CORINTHIEN. – C'est vous, gens du pays, qui le sauriez le mieux.

1095 ŒDIPE, *au Chœur*. – Parmi ceux qui sont là est-il quelqu'un qui sache quel est le berger dont parle cet homme, s'il habite aux champs, si on l'a vu ici. Parlez donc franchement : le moment est venu de découvrir enfin le mot de cette affaire.

LE CHŒUR. – Je crois bien qu'il n'est autre que le berger
1100 fixé à la campagne que tu désirais voir[1]. Mais Jocaste est là : personne ne pourrait nous renseigner mieux qu'elle.

ŒDIPE. – Tu sais, femme : l'homme que tout à l'heure nous désirions voir et celui dont il parle…

JOCASTE. – Et n'importe de qui il parle ! N'en aie nul souci.
1105 De tout ce qu'on t'a dit, va, ne conserve même aucun souvenir. À quoi bon[2] !

---

1. Le serviteur témoin du meurtre de Laïos et le berger qui a abandonné Œdipe bébé ne font qu'un, d'où l'importance du futur témoignage de cet homme.
2. Jocaste qui sait ce qu'elle a fait de son fils bébé, connaît désormais, avec une longueur d'avance sur Œdipe, toute l'étendue de l'horrible vérité. Elle fait une ultime tentative : ne pas chercher à savoir la vérité et vivre dans le mensonge et l'illusion. Mais, vu l'énergie que déploie Œdipe pour trouver la vérité, cette tentative est vouée à l'échec.

ŒDIPE. – Impossible. J'ai déjà saisi trop d'indices pour renoncer désormais à éclaircir mon origine.

JOCASTE. – Non, par les dieux! Si tu tiens à la vie, non, n'y
110 songe plus. C'est assez que je souffre, moi.

ŒDIPE. – Ne crains donc rien. Va, quand je me révélerais et fils et petit-fils d'esclaves, tu ne serais pas toi, une vilaine pour cela[1].

JOCASTE. – Arrête-toi pourtant, crois-moi, je t'en conjure.
115 ŒDIPE. – Je ne te croirai pas, je veux savoir le vrai.

JOCASTE. – Je sais ce que je dis. Va, mon avis est bon.

ŒDIPE. – Eh bien! tes bons avis m'exaspèrent à la fin.

JOCASTE. – Ah! Puisses-tu jamais n'apprendre qui tu es!

ŒDIPE. – N'ira-t-on pas enfin me chercher ce bouvier[2]?
1120 Laissons-la se vanter de son riche lignage.

JOCASTE. – Malheureux! malheureux! oui, c'est là le seul nom dont je peux t'appeler. Tu n'en auras jamais un autre de ma bouche.

(Elle rentre, éperdue, dans le palais.)

LE CHŒUR. – Pourquoi sort-elle ainsi, Œdipe? On dirait
1125 qu'elle a sursauté sous une douleur atroce. Je crains qu'après un tel silence n'éclate quelque grand malheur.

ŒDIPE. – Eh! qu'éclatent donc tous les malheurs qui voudront! Mais mon origine, si humble soit-elle, j'entends, moi, la saisir. Dans son orgueil de femme, elle rougit sans
1130 doute de mon obscurité: je me tiens, moi, pour fils de la

---

1. Œdipe croit que la peur de Jocaste est d'ordre social. Il pense qu'elle aura honte de lui si on apprend qu'il n'est pas de naissance noble.
2. Bouvier: berger qui garde les bœufs; allusion au berger dont il a été question précédemment.

Fortune[1], Fortune la Généreuse, et n'en éprouve point de honte. C'est Fortune qui fut ma mère, et les années qui ont accompagné ma vie m'ont fait tour à tour et petit et grand. Voilà mon origine, rien ne peut la changer : pourquoi renon-
1135 cerais-je à savoir de qui je suis né ?

(Le Chœur entoure Œdipe
et cherche à le distraire de son angoisse.)

Soutenu[2].

LE CHŒUR. — *Si je suis bon prophète, si mes lumières me révèlent le vrai, oui, par l'Olympe[3], je le jure, dès demain, à la pleine lune, tu t'entendras glorifier comme étant, ô Cithéron[4], le compatriote d'Œdipe,*

1140 *son nourricier, son père ; et nos chœurs te célébreront pour les faveurs que tu fis à nos rois[5]. Et puisses-tu aussi, Phœbos[6], toi qu'on invoque avec des cris aigus, avoir ces chants pour agréables !*

Qui donc, enfant, qui donc t'a mis au monde ? Parmi les Nymphes[7] aux longs jours, quelle est donc celle qui aima et qui rendit

---

1. Fortune : c'est à nouveau le mot *tuchê* qui est employé. Œdipe, ici, croit avoir trouvé une revanche sur le mystère de ses origines : il éprouve de la fierté à n'être le fils de personne, à être un homme qui s'est fait seul.

2. Ici commence une partie dansée et chantée qui partage le troisième épisode en deux. Il s'agit d'un hyporchème, chant d'humeur joyeuse.

3. Olympe : demeure des dieux.

4. Cithéron : montagne où Œdipe enfant a été exposé ; voir note 2, p. 27.

5. Le Chœur est relativement optimiste. Il veut croire à la naissance mystérieuse d'Œdipe et à la résolution heureuse de toute cette affaire.

6. Phœbos : surnom d'Apollon signifiant « le Brillant » ; voir note 3, p. 10.

7. Les **Nymphes** sont des divinités féminines secondaires. Elles sont souvent l'objet des convoitises des grands dieux. Le Chœur fait l'hypothèse qu'Œdipe est le fils d'une de ces nymphes qui se serait unie soit avec Pan, soit avec Apollon appelé ici Loxias, soit avec Hermès, soit avec Dionysos-Bacchos. Cette atmosphère joyeuse et bucolique contraste avec la noirceur tragique du contexte. Comme si le Chœur, à la suite d'Œdipe, se rattachait à quelque chose de positif pour écarter le malheur pressenti.

1145 *père Pan, le dieu qui court par les monts ? Ou bien serait-ce une*
amante de Loxias ? Il se plaît à hanter tous les plateaux sauvages.

Ou bien s'agirait-il du maître du Cyllène[1] ? Ou du divin Bacchos,
l'habitant des hauts sommets, qui t'aurait reçu comme fils des mains
d'une des Nymphes avec qui si souvent il s'ébat sur l'Hélicon[2] ?

> *(Par la gauche entrent deux esclaves*
> *conduisant un vieux berger.)*

1150 ŒDIPE. – Pour autant que je puisse ici le supposer, sans
l'avoir rencontré encore, ce berger, vieillards, m'a l'air d'être
celui que j'attends depuis un moment. Son grand âge s'accorde
à celui de cet homme. D'ailleurs, dans ceux qui le conduisent,
je reconnais des gens à moi. Mais ton savoir l'emporte sur le
1155 mien sans doute, puisque tu l'as vu toi-même jadis.

LE CHŒUR. – Oui, sache-le bien, je le reconnais. Il était
chez Laïos tenu pour un berger fidèle entre tous.

ŒDIPE. – C'est à toi d'abord que je m'adresse, à toi, le
Corinthien. Est-ce là l'homme dont tu parles ?

1160 LE CORINTHIEN. – C'est celui-là même ; tu l'as devant toi.

ŒDIPE. – Ça, vieillard, à ton tour ! Approche et, les yeux dans
mes yeux, réponds à mes demandes. Tu étais bien à Laïos ?

LE SERVITEUR. – Oui, esclave non acheté, mais né au palais
du roi.

1165 ŒDIPE. – Attaché à quelle besogne ? Menant quelle sorte
de vie ?

LE SERVITEUR. – Je faisais paître les troupeaux la plus
grande partie du temps.

---

1. Maître du Cyllène : il s'agit d'Hermès, dieu des voyageurs et du commerce,
qui, dit-on, est né sur le mont Cyllène en Arcadie.
2. Hélicon (littéralement, la « montagne tortueuse ») : massif montagneux situé
en Béotie, célèbre pour le culte d'Apollon et des Muses.

ŒDIPE. – Et dans quelles régions séjournais-tu de préférence ?

1170 LE SERVITEUR. – Dans la région du Cithéron, ou dans les régions voisines.

ŒDIPE. – Et là, te souviens-tu d'avoir connu cet homme ?

LE SERVITEUR. – Mais qu'y faisait-il ? de qui parles-tu ?

ŒDIPE. – De celui qui est là. L'as-tu pas rencontré ?

1175 LE SERVITEUR. – Pas assez pour que ma mémoire me laisse répondre si vite.

LE CORINTHIEN. – Rien d'étonnant à cela, maître. Mais je vais nettement, puisqu'il ne me reconnaît pas, réveiller, moi, ses souvenirs. Je suis bien sûr qu'il se souvient du temps où, 1180 sur le Cithéron, lui avec deux troupeaux, et moi avec un, nous avons tous les deux vécu côte à côte, à trois reprises, pendant six mois, du début du printemps au lever de l'Arcture[1]. L'hiver venu, nous ramenions nos bêtes, moi dans ma bergerie, lui aux étables de son maître. Oui ou non, dis-je vrai ?

1185 LE SERVITEUR. – Vrai. Mais il s'agit là de choses bien anciennes.

LE CORINTHIEN. – Et maintenant, dis-moi. En ce temps-là, te souviens-tu de m'avoir remis un enfant, afin que je l'élève comme s'il était mien ?

1190 LE SERVITEUR. – Que dis-tu ? Où veux-tu en venir ?

LE CORINTHIEN. – Le voilà, mon ami, cet enfant d'autrefois !

LE SERVITEUR, *levant son bâton*. – Malheur à toi ! veux-tu te taire !

ŒDIPE. – Eh là, vieux, pas de coups ! Ce sont bien tes 1195 propos qui méritent des coups, beaucoup plus que les siens.

---

1. **Arcturus** est une étoile de la constellation du Bouvier, en face de la Grande Ourse. Son lever correspond à l'équinoxe d'automne. L'expression est donc une périphrase pour désigner le début de l'automne.

LE SERVITEUR. – Mais quelle est donc ma faute, ô le meilleur des maîtres ?

ŒDIPE. – Tu ne nous as rien dit de l'enfant dont il parle.

LE SERVITEUR. – Il parle sans savoir, il s'agite pour rien.

200 ŒDIPE. – Si tu ne veux pas parler de bon gré, tu parleras de force et il t'en cuira[1].

LE SERVITEUR. – Ah ! je t'en supplie, par les dieux, ne maltraite pas un vieillard.

ŒDIPE. – Vite, qu'on lui attache les mains dans le dos !

205 LE SERVITEUR. – Hélas ! pourquoi donc ? que veux-tu savoir ?

ŒDIPE. – C'est toi qui lui remis l'enfant dont il nous parle ?

LE SERVITEUR. – C'est moi. J'aurais bien dû mourir le même jour.

210 ŒDIPE. – Refuse de parler, et c'est ce qui t'attend.

LE SERVITEUR. – Si je parle, ma mort est bien plus sûre encore.

ŒDIPE. – Cet homme m'a tout l'air de chercher des délais.

LE SERVITEUR. – Non, je l'ai dit déjà : c'est moi qui le remis.

215 ŒDIPE. – De qui le tenais-tu ? De toi-même ou d'un autre ?

LE SERVITEUR. – Il n'était pas à moi. Je le tenais d'un autre.

ŒDIPE. – De qui ? de quel foyer de Thèbes sortait-il ?

LE SERVITEUR. – Non, maître, au nom des dieux, n'en demande pas plus.

220 ŒDIPE. – Tu es mort, si je dois répéter ma demande.

LE SERVITEUR. – Il était né chez Laïos.

ŒDIPE. – Esclave ?... Ou parent du roi ?

---

1. Il t'en cuira : cela te coûtera cher. Œdipe menace le berger de châtiments corporels.

LE SERVITEUR. – Hélas ! j'en suis au plus cruel à dire.

ŒDIPE. – Et pour moi à entendre. Pourtant je l'entendrai.

1225 LE SERVITEUR. – Il passait pour son fils… Mais ta femme, au palais, peut bien mieux que personne te dire ce qui est.

ŒDIPE. – C'est elle qui te l'avait remis ?

LE SERVITEUR. – C'est elle, seigneur.

ŒDIPE. – Dans quelle intention ?

1230 LE SERVITEUR. – Pour que je le tue.

ŒDIPE. – Une mère !... La pauvre femme !

LE SERVITEUR. – Elle avait peur d'un oracle des dieux.

ŒDIPE. – Qu'annonçait-il ?

LE SERVITEUR. – Qu'un jour, prétendait-on, il tuerait ses 1235 parents.

ŒDIPE. – Mais pourquoi l'avoir, toi, remis à ce vieillard ?

LE SERVITEUR. – J'eus pitié de lui, maître. Je crus, moi, qu'il l'emporterait au pays d'où il arrivait. Il t'a sauvé la vie, mais pour les pires maux ! Si tu es vraiment celui dont il parle, 1240 sache que tu es né marqué par le malheur.

ŒDIPE. – Hélas ! hélas ! ainsi tout à la fin serait vrai ! Ah ! lumière du jour, que je te voie ici pour la dernière fois, puisqu'aujourd'hui, je me révèle le fils de qui je ne devais pas naître, l'époux de qui je ne devais pas l'être, le meurtrier de 1245 qui je ne devais pas tuer !

(Il se rue dans le palais.)

Modéré[1].

LE CHŒUR. – *Pauvres générations humaines, je ne vois en vous qu'un néant !*

---

1. Ici commence le troisième *stasimon*.

Quel est, quel est donc l'homme qui obtient plus de bonheur qu'il en faut pour paraître heureux, puis, cette apparence donnée, dispa-
250 *raître de l'horizon ?*

Ayant ton sort pour exemple, ton sort à toi, ô malheureux Œdipe, je ne puis plus juger heureux qui que ce soit parmi les hommes.

Il avait visé au plus haut. Il s'était rendu maître d'une fortune
255 *et d'un bonheur complets.*

Il avait détruit, ô Zeus, la devineresse aux serres aiguës[1]. *Il s'était dressé devant notre ville comme un rempart contre la mort.*

Et c'est ainsi, Œdipe, que tu avais été proclamé notre roi, que tu
260 *avais reçu les honneurs les plus hauts, que tu régnais sur la puissante Thèbes.*

Plus vif.

Et maintenant qui pourrait être dit plus malheureux que toi ? Qui a subi désastres, misères plus atroces, dans un pareil revirement ?

1265 *Ah ! noble et cher Œdipe ! Ainsi la chambre nuptiale a vu le fils après le père entrer au même port*[2] *terrible !*

Comment, comment le champ labouré[3] *par ton père a-t-il pu si longtemps, sans révolte, te supporter, ô malheureux ?*

---

1. Devineresse aux serres aiguës: nouvelle expression pour désigner la Sphinx. Le mot grec traduit par «devineresse» signifie «celui qui chante des oracles en vers», ce qui indique que l'énigme de la Sphinx était posée en vers.
2. Port: métaphore maritime pour désigner l'épouse.
3. Champ labouré: métaphore désignant le corps féminin qui doit être fécondé, labouré et semé de graines comme un champ.

Le temps, qui voit tout, malgré toi l'a découvert. Il condamne
1270 l'hymen[1], qui n'a rien d'un hymen, d'où naissaient à la fois et
depuis tant de jours un père et des enfants.

Ah ! fils de Laïos ! que j'aurais donc voulu ne jamais, ne jamais
te connaître ! Je me désole, et des cris éperdus
s'échappent de ma bouche. Il faut dire la vérité : par toi jadis
1275 j'ai recouvré la vie, et par toi aujourd'hui je ferme à jamais
les yeux !

(Un esclave sort du palais[2].)

LE MESSAGER. – Ô vous que ce pays a de tout temps entre
tous honorés, qu'allez-vous donc ouïr et qu'allez-vous voir ?
Quel chant de deuil devrez-vous faire entendre si, fidèles à
1280 votre sang, vous vous intéressez encore à la maison des
Labdacides ? Ni l'Ister ni le Phase[3] ne seraient capables, je
crois, de laver les souillures que cache ce palais, et dont il va
bientôt révéler une part – souillures voulues, non involon-
taires ; mais, parmi les malheurs, les plus affligeants ne sont-
1285 ils pas ceux justement qui sont nés d'un libre choix ?

LE CHŒUR. – Ce que nous savions nous donnait déjà
matière à gémir : qu'y viens-tu ajouter encore ?

LE MESSAGER. – Un mot suffit, aussi court à dire qu'à
entendre : notre noble Jocaste est morte.

---

1. Hymen : mariage.

2. Ici commence l'*exodos*, la dernière partie de la tragédie à l'issue de laquelle le
Chœur va sortir.

3. L'Ister et le Phase : aujourd'hui le Danube et le Rion, deux fleuves qui se
jettent dans la mer Noire, l'un à l'ouest, l'autre à l'est. Ce rapprochement était
familier aux Anciens, de même que l'évocation d'un vaste élément aquatique
naturel pour traduire l'impossibilité de laver une souillure. On retrouve la même
image chez Eschyle, au début des *Choéphores*, à propos de l'assassinat d'Agamemnon par Clytemnestre.

1290 LE CHŒUR. – La malheureuse ! Et qui causa sa mort ?

LE MESSAGER. – Elle-même. Mais le plus douloureux de tout cela t'échappe : le spectacle du moins t'en aura été épargné. Malgré tout, dans la mesure où le permettra ma mémoire, tu vas savoir ce qu'a souffert l'infortunée. À peine

1295 a-t-elle franchi le vestibule que, furieuse, elle court vers le lit nuptial, en s'arrachant à deux mains les cheveux. Elle entre et violemment ferme la porte derrière elle. Elle appelle alors Laïos, déjà mort depuis tant d'années ; elle évoque « les enfants que jadis il lui donna et par qui il périt lui-même,

1300 pour laisser la mère à son tour donner à ses propres fils une sinistre descendance ». Elle gémit sur la couche « où, misérable, elle enfanta un époux de son époux et des enfants de ses enfants » ! Comment elle périt ensuite, je l'ignore, car à ce moment Œdipe, hurlant, tombe au milieu de nous, nous

1305 empêchant d'assister à sa fin : nous ne pouvons plus regarder que lui. Il fait le tour de notre groupe ; il va, il vient, nous suppliant de lui fournir une arme, nous demandant où il pourra trouver « l'épouse qui n'est pas son épouse, mais qui fut un champ maternel à la fois pour lui et pour ses enfants ».

1310 Sur quoi un dieu sans doute dirige sa fureur, car ce n'est certes aucun de ceux qui l'entouraient avec moi. Subitement, il poussa un cri terrible et, comme mené par un guide, le voilà qui se précipite sur les deux vantaux de la porte, fait fléchir le verrou qui saute de la gâche, se rue enfin au milieu

1315 de la pièce… La femme est pendue ! Elle est là, devant nous, étranglée par le nœud qui se balance au toit… Le malheureux à ce spectacle pousse un gémissement affreux. Il détache la corde qui pend, et le pauvre corps tombe à terre… C'est un spectacle alors atroce à voir. Arrachant les

1320 agrafes d'or qui servaient à draper ses vêtements sur elle, il
les lève en l'air et il se met à en frapper ses deux yeux dans
leurs orbites. « Ainsi ne verront-ils plus, dit-il, ni le mal que
j'ai subi, ni celui que j'ai causé ; ainsi les ténèbres leur défen-
dront-elles de voir désormais ceux que je n'eusse pas dû voir,
1325 et de manquer de reconnaître ceux que, malgré tout, j'eusse
voulu connaître ! » Et tout en clamant ces mots, sans répit,
les bras levés, il se frappait les yeux, et leurs globes en
sang coulaient sur sa barbe. Ce n'était pas un suintement de
gouttes rouges, mais une noire averse de grêle et de sang,
1330 inondant son visage !... Le désastre a éclaté, non par sa seule
faute, mais par le fait de tous deux à la fois : c'est le commun
désastre de la femme et de l'homme. Leur bonheur d'autrefois était hier encore un bonheur au sens vrai du mot :
aujourd'hui, au contraire, sanglots, désastre, mort et igno-
1335 minie[1], toute tristesse ayant un nom se rencontre ici désormais ; pas une qui manque à l'appel !

LE CHŒUR. – Et, à présent, le misérable jouit-il de quelque
relâche à sa peine ?

LE MESSAGER. – Il demande à grands cris « qu'on ouvre les
1340 portes et qu'on fasse voir à tous les Cadméens[2] celui qui tua son
père et qui fit de sa mère... » – ses mots sont trop ignobles, je
ne puis les redire. Il parle « en homme qui s'apprête à s'exiler
lui-même du pays, qui ne peut plus y demeurer, puisqu'il se
trouve sous le coup de sa propre imprécation ». Pourtant, il a
1345 besoin d'un appui étranger, il a besoin d'un guide. Le coup qui
l'a frappé est trop lourd à porter. Tu vas en juger par toi-même.

---

1. Ignominie : horreur d'un point de vue moral.
2. Cadméens : désigne les Thébains en tant que descendants de Cadmos, fondateur légendaire de Thèbes.

On pousse justement le verrou de sa porte. Tu vas contempler un spectacle qui apitoierait même un ennemi.

(Œdipe apparaît, la face sanglante,
cherchant sa route à tâtons.)

Mélodrame.

LE CHŒUR. – Ô disgrâce effroyable à voir pour des mortels
350 – oui, la plus effroyable que j'aie jamais croisée sur mon chemin ! Quelle démence, infortuné, s'est donc abattue sur toi ? Quel Immortel a fait sur ta triste fortune un bond plus puissant qu'on n'en fit jamais ?

Ah ! malheureux ! non, je ne puis te regarder en face. Et
355 cependant je voudrais tant t'interroger, te questionner, t'examiner… Mais tu m'inspires trop d'effroi !

ŒDIPE. – Hélas ! hélas ! malheureux que je suis ! Où m'emportent mes pas, misérable ? où s'envole ma voix, en s'égarant dans l'air ? Ah ! mon destin, où as-tu été te précipiter ?

360 LE CHŒUR. – Dans un désastre, hélas ! effrayant à voir autant qu'à entendre.

Agité.

ŒDIPE. – *Ah ! nuage de ténèbres ! nuage abominable, qui t'étends sur moi, immense, irrésistible, écrasant !*

Ah ! comme je sens pénétrer en moi tout ensemble et l'aiguillon de
365 *mes blessures et le souvenir de mes maux !*

LE CHŒUR. – Nul assurément ne sera surpris qu'au milieu de telles épreuves tu aies double deuil, double douleur à porter.

ŒDIPE. – *Ah ! mon ami, tu restes donc encore, toi seul, à mes côtés ? Tu consens donc encore à soigner un aveugle ?*

1370   *Ah ! ce n'est pas un leurre : du fond de mes ténèbres, très nette-*
ment, je reconnais ta voix.

LE CHŒUR. — Oh ! qu'as-tu fait ? Comment as-tu donc pu
détruire tes prunelles ? Quel dieu poussa ton bras ?

ŒDIPE. — *Apollon[1], mes amis ! oui, c'est Apollon qui m'inflige*
1375   *à cette heure ces atroces, ces atroces disgrâces qui sont mon lot, mon*
lot désormais. Mais aucune autre main n'a frappé que la mienne,
la mienne, malheureux !

Que pouvais-je encore voir dont la vue pour moi eût quelque douceur ?

LE CHŒUR. — *Las ! il n'est que trop vrai !*

1380   ŒDIPE. — *Oui, que pouvais-je voir qui me pût satisfaire ?*
Est-il un appel encore que je puisse entendre avec joie ?

Ah ! emmenez-moi loin de ces lieux bien vite ! emmenez, mes
amis, l'exécrable fléau, le maudit entre les maudits, l'homme qui
parmi les hommes est le plus abhorré[2] des dieux !

1385   LE CHŒUR. — Ton âme te torture autant que ton malheur.
Comme j'aurais voulu que tu n'eusses rien su !

ŒDIPE. — *Ah ! quel qu'il fût, maudit soit l'homme qui, sur*
l'herbe d'un pâturage, me prit par ma cruelle entrave, me sauva de la
mort, me rendit à la vie ! Il ne fit rien là qui dût me servir.

1390   *Si j'étais mort à ce moment, ni pour moi ni pour les miens je ne*
fusse devenu l'affreux chagrin que je suis aujourd'hui.

LE CHŒUR. — *Moi aussi, c'eût été mon vœu.*

ŒDIPE. — *Je n'eusse pas été l'assassin de mon père ni aux yeux de*
tous les mortels l'époux de celle à qui je dois le jour

1395   *tandis qu'à cette heure, je suis un sacrilège, fils de parents*
impies, qui a lui-même des enfants de la mère dont il est né ! S'il

---

1. Apollon est l'auteur du double oracle à Laïos et à Œdipe.
2. Abhorré : détesté.

*existe un malheur au-delà du malheur, c'est là, c'est là le lot
d'Œdipe !*

LE CHŒUR. – Je ne sais vraiment comment justifier ta résolution. Mieux valait pour toi ne plus vivre que vivre aveugle
à jamais.

ŒDIPE. – Ah ! ne me dis pas que ce que j'ai fait n'était pas
le mieux que je pusse faire ! Épargne-moi et leçons et
conseils !... Et de quels yeux, descendu aux Enfers, eussé-je
pu, si j'y voyais, regarder mon père et ma pauvre mère, alors
que j'ai sur tous les deux commis des forfaits plus atroces
que ceux pour lesquels on se pend ? Est-ce la vue de mes
enfants qui aurait pu m'être agréable ? – des enfants nés
comme ceux-ci sont nés ! Mes yeux, à moi, du moins ne les
reverront pas, non plus que cette ville, ces murs, ces images
sacrées de nos dieux, dont je me suis exclu moi-même, infortuné, moi, le plus glorieux des enfants de Thèbes, le jour où
j'ai donné l'ordre formel à tous de repousser le sacrilège,
celui que les dieux mêmes ont révélé impur, l'enfant de
Laïos ! Et après avoir de la sorte dénoncé ma propre souillure, j'aurais pu les voir sans baisser les yeux ? Non, non ! Si
même il m'était possible de barrer au flot des sons la route
de mes oreilles, rien ne m'empêcherait alors de verrouiller
mon pauvre corps, en le rendant aveugle et sourd tout à la
fois. Il est si doux à l'âme de vivre hors de ses maux !... Ah !
Cithéron[1], pourquoi donc m'as-tu recueilli ? Que ne m'as-tu
plutôt saisi et tué sur l'heure ! Je n'eusse pas ainsi dévoilé
aux humains de qui j'étais sorti... Ô Polybe[2], ô Corinthe,

---

1. **Cithéron** : montagne où Œdipe enfant a été exposé ; voir note 2, p. 27.
2. **Polybe** : roi de Corinthe, père nourricier d'Œdipe ; voir note 2, p. 31.

et toi, palais antique toi qu'on disait le palais de mon père,
1425 sous tous ces beaux dehors, quel chancre[1] malfaisant vous
nourrissiez en moi ! J'apparais aujourd'hui ce que je suis en
fait : un criminel, issu de criminels... Ô double chemin ! val
caché ! bois de chênes ! ô étroit carrefour où se joignent deux
routes[2] ! vous qui avez bu le sang de mon père versé par mes
1430 mains, avez-vous oublié les crimes que j'ai consommés sous
vos yeux, et ceux que j'ai plus tard commis ici encore ?
Hymen[3], hymen à qui je dois le jour, qui, après m'avoir
enfanté, as une fois de plus fait lever la même semence et
qui, de la sorte, as montré au monde des pères, frères,
1435 enfants, tous de même sang ! des épousées à la fois femmes
et mères — les pires hontes des mortels... Non, non ! Il est
des choses qu'il n'est pas moins honteux d'évoquer que de
faire. Vite, au nom des dieux, vite, cachez-moi quelque part,
loin d'ici ; tuez-moi, ou jetez-moi à la mer, en un lieu où
1440 vous ne me voyiez jamais plus... Venez, daignez toucher un
malheureux. Ah ! croyez-moi, n'ayez pas peur : mes maux à
moi, il n'est point d'autre mortel qui soit fait pour
les porter.

LE CHŒUR. — Mais, pour répondre à tes demandes, Créon
1445 arrive à propos. Il est désigné pour agir autant que pour
te conseiller, puisqu'il reste seul à veiller à ta place sur
notre pays.

(Entre Créon.)

---

1. Chancre : maladie de peau ; au figuré, ce qui ronge, détruit.
2. Allusion au carrefour où a lieu la rencontre fatale entre Œdipe et son père ;
voir note 4, p. 41.
3. Hymen : mariage.

ŒDIPE. – Las! que dois-je lui dire? Quelle confiance puis-je donc normalement lui inspirer? Ne me suis-je pas naguère[1] montré en tout cruel à son endroit?

CRÉON. – Je ne viens point ici pour te railler, Œdipe; moins encore pour te reprocher tes insultes de naguère. Mais vous autres, si vous n'avez plus de respect pour la race des humains, respectez tout au moins le feu[2] qui nourrit ce monde; rougissez d'exposer sans voile à ses rayons un être aussi souillé, que ne sauraient admettre ni la terre, ni l'eau sainte, ni la lumière du jour. Allez, renvoyez-le au plus vite chez lui. C'est aux parents seuls que la pitié laisse le soin de voir et d'écouter des parents en peine.

ŒDIPE. – Au nom des dieux, puisque tu m'as tiré de crainte, en venant, toi, ô le meilleur des hommes, vers le plus méchant des méchants, écoute-moi. Je veux te parler dans ton intérêt, et non dans le mien.

CRÉON. – Et quelle est la requête pour laquelle tu me presses ainsi?

ŒDIPE. – Jette-moi hors de ce pays, et au plus tôt, dans des lieux où personne ne m'adresse plus la parole.

CRÉON. – Je l'eusse fait, sois-en bien sûr, si je n'avais voulu savoir d'abord du dieu où était mon devoir.

ŒDIPE. – Mais le dieu a déjà publié sa sentence: pour l'assassin, pour l'impie que je suis, c'est la mort.

CRÉON. – Ce sont bien ses paroles; mais, dans la détresse où nous sommes, mieux vaut pourtant nous assurer de ce qui est notre devoir.

---

1. Naguère : il y a peu de temps, tout récemment.
2. Feu : une des sources cosmogoniques, l'un des principes vitaux du monde.

1475   ŒDIPE. – Eh quoi ! pour un malheureux vous iriez consulter
encore ?

 CRÉON. – C'est justement pour que toi-même tu en croies
cette fois le dieu.

ŒDIPE. – Je l'en crois ; et, à mon tour, je t'adresse mes
1480   derniers vœux. À celle qui est là, au fond de ce palais, va, fais
les funérailles que tu désireras : il est bien dans ton rôle de
t'occuper des tiens. Mais pour moi, tant que je vivrai, que
jamais cette ville, la ville de mes pères, ne me soit donnée
pour séjour ! Laisse-moi bien plutôt habiter les montagnes, ce
1485   Cithéron[1] qu'on dit mon lot. Mon père et ma mère, de leur
vivant même, l'avaient désigné pour être ma tombe : je
mourrai donc ainsi par ceux-là qui voulaient ma mort. Et
pourtant, je le sais, ni la maladie ni rien d'autre au monde ne
peuvent me détruire : aurais-je été sauvé à l'heure où je
1490   mourais, si ce n'avait été pour quelque affreux malheur ?
N'importe : que mon destin, à moi, suive sa route ! Mais j'ai
mes enfants… De mes fils, Créon, ne prends pas souci. Ce
sont des hommes : où qu'ils soient, ils ne manqueront pas de
pain. Mais de mes pauvres et pitoyables filles, sans qui jamais
1495   on ne voyait dressée la table où je mangeais, et qui toujours
avaient leur part de tous les plats que je goûtais, de celles-là
je t'en supplie, prends soin !… Et surtout, laisse-moi les
palper de mes mains, tout en pleurant sur nos misères. Ah !
prince, noble et généreux prince, si mes mains les touchaient
1500   seulement, je croirais encore les avoir à moi, tout comme au
temps où j'y voyais… Mais que dis-je ? Ô dieux ! n'entends-je

---

1. Le Cithéron a été invoqué à plusieurs reprises. Le retour d'Œdipe sur le lieu
où il aurait dû mourir boucle son aventure tragique.

pas ici mes deux filles qui pleurent ? Créon, pris de pitié, m'aurait-il envoyé ce que j'ai de plus cher, mes deux enfants ? Dis-je vrai ?

(Antigone et Ismène sortent du gynécée[1], conduites par une esclave.)

1505 CRÉON. – Vrai. C'est bien moi qui t'ai ménagé cette joie, dont je savais que la pensée depuis un moment t'obsédait.

ŒDIPE. – Le bonheur soit donc avec toi ! et, pour te payer de cette venue, puisse un dieu te sauvegarder, et mieux qu'il n'a fait moi-même ! – Ô mes enfants, où donc êtes-vous ?
1510 venez, venez vers ces mains fraternelles, qui ont fait ce que vous voyez de ces yeux tout pleins de lumière du père dont vous êtes nées ! ce père, mes enfants qui, sans avoir rien vu, rien su, s'est révélé soudain comme vous ayant engendrées dans le sein où lui-même avait été formé !... Sur vous aussi,
1515 je pleure – puisque je ne suis plus en état de vous voir – je pleure, quand je songe combien sera amère votre vie à venir et quel sort vous feront les gens. À quelles assemblées de votre cité, à quelles fêtes pourrez-vous bien aller, sans retourner chez vous en larmes, frustrées du spectacle
1520 attendu ? Et, quand vous atteindrez l'heure du mariage, qui voudra, qui osera se charger de tous ces opprobres[2] faits pour ruiner votre existence, comme ils ont fait pour mes propres parents ? Est-il un crime qui y manque ? Votre père a tué son père ; il a fécondé le sein d'où lui-même était sorti ;
1525 il vous a eues de celle même dont il était déjà issu : voilà les hontes qu'on vous reprochera ! Qui, dès lors, vous épousera ?

---

1. Gynécée : pièces du palais, ou d'une maison, réservées aux femmes.
2. Opprobres : hontes.

Personne, ô mes enfants, et sans doute vous faudra-t-il vous
consumer alors dans la stérilité et dans la solitude… Ô fils
de Ménécée[1], puisque tu restes seul pour leur servir de père –
1530 nous, leur père et leur mère, sommes morts tous les deux – ne
laisse pas des filles de ton sang errer sans époux, mendiant leur
pain. Ne fais point leur malheur égal à mon malheur. Prends
pitié d'elles, en les voyant si jeunes, abandonnées de tous, si
tu n'interviens pas. Donne-m'en ta parole, prince généreux,
1535 en me touchant la main… (*Créon lui donne la main.*) Ah! que
de conseils, mes enfants, si vous étiez d'âge à comprendre,
j'aurais encore à vous donner! Pour l'instant, croyez-moi,
demandez seulement aux dieux, où que le sort vous permette
de vivre, d'y trouver une vie meilleure que celle du père dont
1540 vous êtes nées.

CRÉON. – Tu as assez pleuré, rentre dans la maison.

ŒDIPE. – Je ne puis qu'obéir, même s'il m'en coûte.

CRÉON. – Ce qu'on fait quand il faut est toujours bien fait.

ŒDIPE. – Sais-tu mes conditions pour m'éloigner d'ici?

1545 CRÉON. – Dis-les moi, et je les saurai.

ŒDIPE. – Veille à me faire mener hors du pays.

CRÉON. – La réponse appartient au dieu.

ŒDIPE. – Mais je fais horreur aux dieux désormais.

CRÉON. – Eh bien! alors tu l'obtiendras sans doute.

1550 ŒDIPE. – Dis-tu vrai?

CRÉON. – Je n'ai pas l'habitude de parler contre ma pensée.

ŒDIPE. – Emmène-moi donc tout de suite.

CRÉON. – Viens alors, et laisse tes filles.

ŒDIPE. – Non, pas elles! non, ne me les enlève pas!

---

1. **Fils de Ménécée** : il s'agit de Créon, frère de Jocaste ; voir note 1, p. 10.

CRÉON. – Ne prétends donc pas triompher toujours : tes triomphes n'ont pas accompagné ta vie.

(On ramène les fillettes dans le gynécée, tandis qu'on fait rentrer Œdipe par la grande porte du palais.)

LE CHŒUR. – Regardez, habitants de Thèbes, ma patrie. Le voilà, cet Œdipe, cet expert en énigmes fameuses, qui était devenu le premier des humains. Personne dans sa ville ne pouvait contempler son destin sans envie. Aujourd'hui, dans quel flot d'effrayante misère est-il précipité ! C'est donc ce dernier jour qu'il faut, pour un mortel, toujours considérer. Gardons-nous d'appeler jamais un homme heureux, avant qu'il ait franchi le terme de sa vie sans avoir subi un chagrin[1].

---

1. Cette dernière phrase est l'une des plus célèbres d'*Œdipe roi*, réflexion philosophique lucide sur la fragilité du bonheur humain.

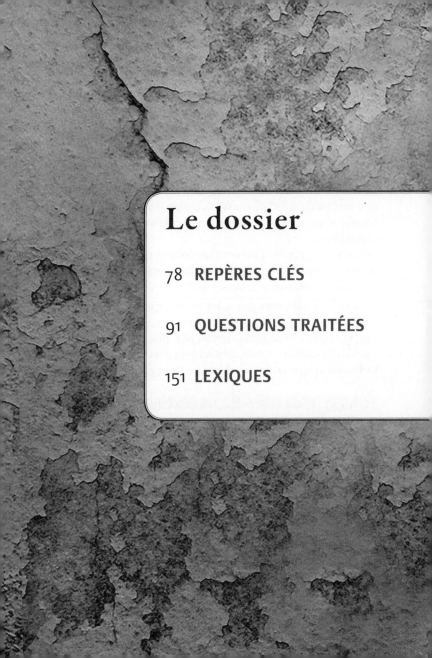

Le dossier

La tragédie dans l'Athènes du ve siècle av. J.-C.

APOGÉE ET DÉCLIN DE LA DÉMOCRATIE ATHÉNIENNE

• Le monde grec du ve siècle av. J.-C. est composé d'un ensemble de **cités indépendantes**. Parmi elles, **Athènes** développe sa prééminence :

– d'une part, Athènes établit un **régime politique démocratique** dans lequel les décisions émanent de l'Assemblée du peuple (*ekklesia*) et puise dans cette originalité politique une vocation à mener une mission civilisatrice sur l'ensemble des cités grecques ;

– d'autre part, grâce notamment à son dynamisme dans la lutte contre les Perses durant les guerres Médiques (490-479), Athènes installe un véritable **empire financier et politique** sur le monde grec.

• Entre la fin du conflit contre les Perses (479) et le début de la guerre du Péloponnèse contre Sparte (431), domine la figure de **Périclès**. C'est lui qui, en 449, fait voter à l'Assemblée l'un des plus importants programmes de grands travaux de l'Antiquité : l'Acropole d'Athènes, avec notamment la construction du Parthénon, temple exceptionnel érigé en l'honneur d'Athéna.

LE THÉÂTRE : UN SPECTACLE, UN CONCOURS, UNE FÊTE RELIGIEUSE

• Le théâtre dans la Grèce antique est un spectacle religieux en l'honneur du dieu **Dionysos**. Les représentations se déroulaient dans le cadre d'un festival organisé par l'État.

• L'un de ces festivals, les **Grandes Dionysies**, durait cinq jours, entre mars et avril ; à côté des cortèges, sacrifices et autres actes cultuels, étaient organisés des concours de quatre types de spectacles : le dithyrambe[1] (chant choral), la comédie, le drame satyrique[2] et la tragédie. L'État choisissait les auteurs autorisés à concourir.

• L'État confiait à de riches citoyens le soin d'assumer les frais du spectacle, versait aux plus pauvres une indemnité pour leur permettre d'y assister et chargeait un jury représentatif de la communauté de désigner les vainqueurs.

---

1. Dithyrambe : poème lyrique à la louange de Dionysos.

2. Drame satyrique : pièce tragicomique issue du culte de Dionysos.

LA TRAGÉDIE, UNE CRÉATION DU MONDE GREC

• La tragédie est née à Athènes au VIᵉ siècle av. J.-C. Mais seules les œuvres d'**Eschyle**, de **Sophocle** et d'**Euripide** sont parvenues jusqu'à nous. Dès l'Antiquité, en effet, ces trois dramaturges sont considérés comme les plus grands : au IVᵉ siècle, l'État athénien fait couler en bronze les effigies des trois tragiques et finance les reprises de leurs pièces.

• Les origines du genre sont obscures et discutées. Selon l'étymologie, la *tragœdia* serait le chant déclamé à l'occasion du sacrifice du bouc[1], bouc sacrifié à **Dionysos**. La tragédie a donc une **origine religieuse**.

• La tragédie est aussi **héritière de l'épopée**. Comme celle-ci, elle puise ses sujets dans les mythes. Mais, alors que le récit épique peut évoquer, par exemple, les dix années de voyage d'Ulysse dans l'*Odyssée*, la tragédie concentre son sujet sur un épisode unique de crise tragique.

• Au concours, l'auteur devait présenter **trois tragédies et un drame satyrique[2]**. Soit les trois tragédies forment un tout : c'est une trilogie liée (l'*Orestie* d'Eschyle par exemple) ; soit elles sont indépendantes : c'est le cas des tragédies de Sophocle que nous lisons aujourd'hui.

LES CARACTÉRISTIQUES DE LA REPRÉSENTATION

• La tragédie est un texte en **vers**, où alternent des textes **chantés ou dits** (un peu comme dans l'opéra moderne). Elle est accompagnée de **musique** composée par le dramaturge lui-même et de **danse** lorsque le chœur évolue.

• Sa structure est très codifiée : une tragédie est composée d'un **prologue** puis d'une *parodos* (entrée du chœur), suivis d'une alternance d'**épisodes** (équivalents des actes dans le théâtre classique) où l'action avance, et de *stasima* (au singulier *stasimon*, « fixe ») qui donnent la parole aux plaintes et aux chants du chœur. La pièce se termine par l'*exodos* (sortie des acteurs et du chœur).

• L'espace scénique est divisé en deux parties bien distinctes : le *logéion* ou *proscénion* (nom latin) où se placent les acteurs et l'*orchestra*, espace circulaire où évolue le chœur. L'*orchestra* est au niveau du sol, au centre, le *proscénion* est surélevé. Derrière lui se trouve une petite construction rectangulaire, la *skênê*, qui sert de coulisses et de mur de décor.

1. Le mot grec *tragos* signifie « bouc ». | 2. On parle alors de « tétralogie ».

• Sur le *proscénion*, à l'époque de Sophocle, seuls trois acteurs (personnages qui prennent la parole) peuvent être présents en même temps. Mais il peut aussi y avoir des personnages muets. Sur l'*orchestra*, le chœur se compose de quinze **choreutes** dirigés par le **coryphée**. La parole du chœur est tantôt collective, tantôt portée par la seule voix du coryphée.

Œdipe en costume de voyageur
→ QUESTIONS TRAITÉES 9 et 20 • p. 123 et p. 149

La rage de vivre d'Œdipe armé de son épée
→ QUESTION TRAITÉE 8 • p. 119

Le Sphinx

→ QUESTIONS TRAITÉES **19** et **20** • p. 147 et p. 149

La beauté hiératique de Jocaste
→ QUESTIONS TRAITÉES 17 et 20 • p. 143 et p. 149

Œdipe roi et les signes du pouvoir

→ QUESTIONS TRAITÉES **7**, **10** et **20** • p. 115, p. 127 et p. 149

Sophocle, l'un des plus grands auteurs tragiques de la littérature

UN HOMME HEUREUX

• À la fin d'*Œdipe roi*, le chœur déclare : « Gardons-nous d'appeler jamais un homme heureux, avant qu'il ait franchi le terme de sa vie sans avoir subi un chagrin. »

• À quelques réserves près, l'auteur d'*Œdipe roi* a pu être appelé « un homme heureux » par ses concitoyens : dramaturge adulé, citoyen respecté, porté au rang de héros après sa mort, Sophocle semble avoir parfaitement réussi sa vie.

• Il naît à Colone, à une vingtaine de kilomètres d'Athènes, vers 495 av. J.-C., dans une riche famille qui veille à lui donner une bonne éducation. En 468, à l'âge de vingt-sept ans, il présente sa première trilogie au concours tragique de la fête des Dionysies et remporte d'emblée la victoire sur Eschyle, son aîné de trente ans, le premier des grands tragiques grecs.

DE L'ART DRAMATIQUE
AUX FONCTIONS POLITIQUES

• La célébrité de Sophocle et l'énorme succès de ses œuvres pousseront ses concitoyens à l'élire deux fois stratège[1] : il accompagnera alors Périclès, le principal artisan de la gloire d'Athènes, à la bataille de Samos. De même, il se verra confier des fonctions religieuses. Il sera notamment chargé de l'introduction à Athènes du culte d'Asclépios, dieu de la médecine.

• On lui accorde ces honneurs tout simplement parce qu'il est reconnu comme un honnête homme, un citoyen digne de ce nom, soucieux du renom et de la bonne administration de la cité. Son patriotisme s'exprime d'ailleurs magnifiquement dans sa dernière œuvre, *Œdipe à Colone*, où il charge le chœur de rendre hommage à sa terre natale.

• Il meurt en 406, à 90 ans, deux ans avant la fin de la guerre du Péloponnèse qui entraînera la perte définitive du prestige d'Athènes.

---

1. Stratège : dans la démocratie athénienne, homme élu pour un an à une fonction politique exécutive.

LES FRAGMENTS D'UNE ŒUVRE

• L'œuvre de Sophocle a en grande partie disparu. Des cent trente tragédies qu'on lui attribue, il n'en subsiste plus que sept, avec les fragments d'un drame satyrique, *Les Limiers*.

• Il est difficile de dater ses œuvres : *Les Trachiniennes*, *Antigone* et *Ajax* dateraient des années 450-440 (c'est le succès de cette dernière pièce qui entraîna la nomination de Sophocle comme stratège en 441) ; *Œdipe roi* et *Électre* auraient été jouées entre 430 et 420 ; *Philoctète*, en 409 ; sa dernière pièce, *Œdipe à Colone*, est mise en scène en 401, cinq ans après sa mort, par son petit-fils, Sophocle le Jeune.

• Son œuvre lui valut la gloire : il aurait été couronné vainqueur vingt-quatre fois aux concours des Grandes Dionysies et classé deuxième toutes les autres fois. On lui doit également l'introduction d'un troisième acteur dans la tragédie et l'utilisation des décors peints.

• Il est, avec Eschyle et Euripide, l'un des plus grands auteurs tragiques de la Grèce antique et de la littérature universelle.

Pasolini, un artiste total

PASOLINI, UN ARTISTE AU DESTIN TRAGIQUE

• Cinéaste, dramaturge, poète, romancier, traducteur, linguiste, Pier Paolo Pasolini est un artiste total. Né à Bologne le **5 mars 1922**, il est le fils d'un officier d'infanterie et d'une institutrice. Ses études de lettres, de langues romanes et d'histoire des arts le conduiront à une activité de poète, de critique, de traducteur, mais aussi d'enseignant. Dans les années 1940, il adhère au parti communiste italien (PCI).

• Sa vie est marquée par un certain nombre de **heurts avec la société tradition-naliste** de l'Italie de l'époque. Son homosexualité mais aussi son engagement politique et moral lui vaudront des ennuis. En 1949, accusé de corruption de mineur, il est radié de l'enseignement et expulsé du PCI (il sera acquitté des années plus tard pour insuffisance de preuves). En 1955, son roman *Les Ragazzi* fait scandale et il est assigné en justice pour le « caractère pornographique » du texte (il sera acquitté). En 1959, son épigramme¹ *À un pape*, publié dans la revue *Officina*, vaut à celle-ci d'être suspendue. En 1963, son film *La Ricotta* est accusé d'outrage à la religion : Pasolini doit encore essuyer un procès dont il sortira amnistié. En 1968, son film *Théorème* sera interdit en Italie pour obscénité.

• **Artiste subversif**, aux mœurs dérangeantes, Pasolini a souvent décrit dans ses poèmes sa solitude et son sentiment de persécution. Les circonstances de sa mort tragique – il est assassiné à coups de bâton sur la plage d'Ostie (près de Rome), dans la nuit du **1er au 2 novembre 1975** – ne sont pas entièrement élucidées : son meurtrier présumé, condamné à neuf ans de prison, a-t-il agi seul ? Pasolini a-t-il été victime d'un crime crapuleux relevant du fait divers ou d'un lynchage collectif politico-mafieux ?

UN CINÉMA ORIGINAL ET ATYPIQUE

• Pasolini commence sa carrière de réalisateur avec une première trilogie aux **accents néoréalistes,** dont le cadre spatiotemporel est la Rome contemporaine de la réalisation : *Accattone* (1961), *Mamma Roma* (1962), *La Ricotta* (court-métrage, 1963).

---

1. Épigramme : poème satirique.

• Il interroge également à plusieurs reprises les **mythes religieux ou antiques** avec *L'Évangile selon saint Matthieu* (1965), *Œdipe roi* (1967), *Médée* (1970).

• Il **expérimente des formes et des thèmes** dans *Théorème* (1968), *Porcherie* (1969), *Salò ou les Cent Vingt Journées de Sodome* (1975).

• Il réalise également ce qu'il appelle la «trilogie de la vie» avec *Le Décaméron* (1971), *Les Contes de Canterbury* (1972) et *Les Mille et Une Nuits* (1974).

ŒDIPE ROI (1967)

1 • Un film aux résonances autobiographiques

• Pasolini est marqué par la **difficulté d'être soi**. Cette difficulté se caractérise d'abord par le refus d'un certain nombre d'héritages : le père, militaire fasciste, et la petite bourgeoisie. Mais Pasolini a aussi du mal à accepter une partie de lui-même, notamment son homosexualité.

• Dès lors, la rencontre avec le personnage d'Œdipe va être une **rencontre avec un double de lui-même**. Dans une interview du 28 septembre 1967, dans le cadre du festival de Venise où était présenté *Œdipe roi*, Pasolini déclare : « Je pense que je suis suffisamment vieux pour faire mon autobiographie. *Œdipe roi*, c'est mon autobiographie. Je suis un petit bourgeois et j'ai de la haine pour la petite bourgeoisie et aussi pour moi. Je peux parler de la petite bourgeoisie seulement dans la mesure où elle devient mythique. Alors j'ai choisi le mythe d'Œdipe pour parler de moi et de mon problème psychologique de petit bourgeois mais dans le mythe[1]. »

• Ainsi, la fuite d'Œdipe entre Corinthe et Thèbes est à l'image de la jeunesse de Pasolini errant d'une ville à l'autre. Mais surtout, la difficile quête d'identité d'Œdipe reflète les difficultés de Pasolini à savoir qui il est et à s'accepter.

2 • L'accueil de la critique

• L'accueil du film, notamment par la critique française, est plutôt favorable. Pour la plupart des critiques, l'intérêt de l'adaptation pasolinienne tient à la **recréation de l'ambiance tragique** de Sophocle.

---

1. Interview disponible sur le site INA.fr.

• L'une des critiques les plus élogieuses et les plus intéressantes est celle **d'Henri Chapier dans *Combat***, le 10 octobre 1968 : « Ce premier poème tragique du cinéma moderne pose évidemment le problème des préjugés à renverser : celui de la convention théâtrale, celui de l'effacement progressif du texte devant l'image, et la découverte d'un cinéma musical et pictural, en rupture de ban avec la tradition psychologique. *Œdipe roi* de Pier Paolo Pasolini confond à merveille les deux plans artificiellement séparés que sont le cinéma et la vie : le film est bien le reflet de cette réalité qu'est notre aventure intérieure, la vie n'étant autre chose qu'une admirable caméra, enregistrant nos moindres péripéties : dans cette cascade d'images, un film ou une autre œuvre n'est qu'une halte, qui nous force à rester les yeux grandement ouverts. »

Le mythe d'Œdipe : richesse et complexité des sources mythologiques et littéraires

LES SOURCES MYTHOLOGIQUES

1 • Le cycle thébain

• Le mythe d'Œdipe fait partie du **cycle thébain**, c'est-à-dire d'une suite de légendes qui se rattachent à la ville de Thèbes, en Béotie (au nord de l'Attique).

• Ce cycle puise sa source dans les temps immémoriaux des théogonies[1]. Œdipe appartient à la race du fondateur légendaire de Thèbes, **Cadmos**, le frère d'Europe, cette jeune fille aimée et enlevée par Zeus sur les rivages de Tyr, en Syrie. Cadmos épouse la déesse Harmonie, fille d'Aphrodite et d'Arès.

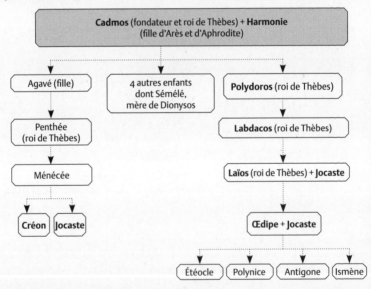

1. On distingue les **mythes cosmogoniques**, qui racontent la naissance du monde ; les **mythes théogoniques**, qui racontent la succession des générations de grands dieux ; les **mythes héroïques**, qui mettent en scène des héros, personnages humains aux origines divines.

2 • Les aléas d'un trône boiteux

● Dans « Œdipe à contretemps[1] », Jean-Pierre Vernant souligne que tout, dans la lignée d'Œdipe, marque l'idée d'une **déformation ou** d'un **détournement**. L'historien parle de « génération boiteuse » dont l'accès au trône de Thèbes se fit de manière heurtée et problématique. Si le peuple de Thèbes se fait appeler « les Cadméens » en référence à Cadmos, roi fondateur de la cité, ses successeurs, en revanche, n'ont pas la même aura, ni la même légitimité.

● Cadmos laisse le trône à son petit-fils **Penthée**, dont le destin annonce à certains égards celui d'Œdipe. Craignant le désordre, Penthée refuse que Dionysos et ses Bacchantes s'installent à Thèbes. Le dieu se vengera en l'attirant dans un piège tragique : il envoie Penthée sur le mont Cithéron, où les filles de Thèbes, frappées de folie par Dionysos et costumées en Bacchantes[2], célèbrent le culte du dieu. Pour les observer, Penthée se dissimule dans un pin. Mais les femmes, parmi lesquelles se trouve sa propre mère, Agavé, l'aperçoivent, déracinent le pin et déchiquettent son corps. La mort de Penthée laisse le trône de Thèbes vacant.

● C'est le début d'une problématique du **pouvoir et** de la **succession**. Le trône revient au jeune frère d'Agavé, Polydoros, qui l'occupe très peu de temps et le laisse à son fils **Labdacos**, « le Boiteux », trop jeune pour succéder à son père. Thèbes entre alors dans un cycle de violence, sous la forme d'une succession fragile.

● Quand Labdacos meurt à son tour, son fils **Laïos**, encore jeune, voit son pouvoir confisqué par des usurpateurs. Il se réfugie à la cour du roi Pélops où il tombe amoureux de son fils, le jeune et beau Chrysippe. Une version du mythe raconte qu'il agresse sexuellement Chrysippe qui, de honte, se suicide. Pélops **maudit** alors solennellement Laïos et sa descendance. Puis, les usurpateurs étant morts, Laïos est rappelé sur le trône par les Thébains et épouse **Jocaste**.

● Pour Jean-Pierre Vernant, l'attitude de Laïos confirme l'une des interprétations possibles de son nom : Laïos, « **l'homme gauche** » a « **gauchi** », c'est-à-dire perturbé toutes les relations humaines : il a dévié du trône dont on l'a détourné ; à l'âge où il devait prendre une épouse, il s'est intéressé à un garçon ; dans l'échange pédérastique, il a forcé Chrysippe ; enfin il a trahi l'hospitalité de Pélops en agressant son fils.

---

1. Dans *L'Univers, les dieux, les hommes. Récits grecs des origines*, Éditions du Seuil, 1999. | **2. Bacchantes** : prêtresses de Dionysos.

LES SOURCES LITTÉRAIRES

1 • L'œdipodie[1] sophocléenne

• Ce sont les **conséquences du mariage de Laïos** qui constituent l'argument de la tragédie de Sophocle. Le mariage de Laïos et Jocaste étant stérile, le roi consulte l'**oracle de Delphes** pour savoir comment avoir un descendant. Et l'oracle lui interdit d'engendrer un enfant car, s'il avait un fils, ce fils le tuerait et serait la cause des plus horribles malheurs pour toute la famille. Malgré ses précautions, le couple – on parle d'une ivresse de Laïos – a un enfant. Ne voulant pas négliger la menace de la prédiction, Laïos donne l'ordre à un berger d'abandonner l'enfant dans la montagne. Le berger lui perce les chevilles et les réunit par une courroie pour le transporter comme du gibier. C'est l'enflure causée par cette blessure qui vaut son nom à l'enfant : **Œdipe, qui signifie «Pieds Enflés »**.

• Mais Œdipe ne périt pas. On raconte que le berger confia l'enfant à un berger corinthien, qui faisait paître ses bêtes dans la même montagne, et que celui-ci l'apporta au roi et à la reine de Corinthe, sans enfant et désireux d'en avoir un. Œdipe, élevé à la cour de Corinthe, croit fermement que Polybe et sa femme sont ses véritables parents. Jusqu'au jour où un Corinthien, lors d'une querelle, révèle à Œdipe qu'il n'est pas le fils de Polybe, mais un enfant trouvé.

• Œdipe décide alors de se rendre à Delphes et d'y interroger l'oracle pour connaître la vérité. L'oracle lui prédit qu'il tuera son père et épousera sa mère. Pour préserver ceux qu'il croit être ses parents, Œdipe décide de s'exiler. Et c'est sur le chemin de l'exil qu'il accomplit l'antique prédiction. Car, au carrefour de Potniai, où le chemin est enserré entre les rochers, il rencontre Laïos, dont le héraut[2] ordonne à Œdipe de laisser passer le roi et, comme il ne se pressait pas d'obéir, abat l'un de ses chevaux. Œdipe, en colère, tue le héraut et son maître.

• Ignorant l'étendue de son crime, Œdipe continue sa route. En arrivant à Thèbes, il rencontre la Sphinx, monstre hybride à moitié lion et à moitié femme,

---

1. Œdipodie : substantif forgé sur le nom *Œdipe* et désignant un poème consacré à la vie d'Œdipe.

2. Héraut : messager.

qui posait des énigmes aux passants et dévorait ceux qui ne pouvaient les résoudre. Œdipe trouve la réponse et, de dépit, la Sphinx se jette sur les rochers et se tue. Reconnaissants, les Thébains prennent l'étranger pour roi et lui donnent en mariage la femme de Laïos, Jocaste, avec laquelle il a quatre enfants. Mais une épidémie de peste s'abat sur la ville. Œdipe envoie Créon, son beau-frère, demander à l'oracle de Delphes la cause de ce fléau : la Pythie répond que la peste ne cessera que si le meurtrier de Laïos est châtié.

2 • Les autres sources littéraires

• La version du mythe choisie par Sophocle peut être comparée à celles qui existent dans d'autres sources littéraires. Différents genres s'approprient en effet ces données orales et populaires.

• C'est le cas de l'**épopée**. Il est fort vraisemblable qu'il a dû exister une épopée sur le cycle thébain, mais elle ne nous est pas parvenue. En revanche, les **épopées d'Homère** font de brèves allusions à ce cycle (*Iliade*, IV, v. 378 et XXIII, v. 679 ; *Odyssée*, XI, v. 271).

• C'est aussi le cas de la **tragédie**. On sait, par des allusions à leurs pièces dans des textes historiques ou philosophiques, que les **tragiques grecs** se sont emparés des différents moments du mythe. **Eschyle** a composé une trilogie liée qui ne nous est pas parvenue, comprenant un *Laïos*, un *Œdipe* et un *Sphinx*. Dans *Les Sept contre Thèbes*, il évoque la génération des enfants d'Œdipe, tout comme le fait **Euripide** dans *Les Suppliantes* ou dans *Les Phéniciennes*.

• Or, ces différentes sources proposent diverses **variations du mythe**.

– Chez Euripide, dans *Les Phéniciennes*, Œdipe se crève les yeux mais reste au palais, à Thèbes ; Jocaste est vivante et ne se tue qu'après la mort de ses deux fils. C'est alors Créon qui chasse Œdipe de Thèbes.

– Dans le chant XI de l'*Odyssée*, Ulysse rencontre l'ombre de Jocaste aux Enfers. Celle-ci s'appelle Épicaste et Ulysse la décrit ainsi : « Je vis, mère d'Œdipe, Épicaste la belle,/ qui commit une action monstrueuse sans le savoir,/ en épousant son fils ; lui, ayant fait périr son père,/ l'épousa ; mais bientôt les dieux en instruisaient le monde./ Alors, dans les tourments, à Thèbes la charmante,/ il dut régner par le décret fatal des dieux ;/ sa mère descendit dans la forte prison d'Hadès/ quand elle eut attaché l'abrupt lacet au plafond haut[1],/ accablée de

1. Après la découverte de l'inceste, Jocaste se pend.

chagrin. Pour tout héritage, son fils/ eut les tourments sans fin que déchaînent les Érynies[1]. »

• On voit bien, à travers ces deux exemples, que coexistaient différentes versions d'un même mythe et que les dramaturges avaient donc toute latitude pour adapter tel ou tel moment du récit mythique dans leurs pièces.

---

1. *Odyssée*, chant XI, vers 271-280, traduction Philippe Jaccottet, Éditions La Découverte/ Poche, 2004. **Érynies** : divinités violentes dont la fonction est de venger le crime et de châtier tout particulièrement le parricide.

QUESTION 1

Comment le mythe d'Œdipe est-il mis en œuvre dans la tragédie de Sophocle et dans le film de Pasolini ?

CHOISIR ET TRIER DANS LA MATIÈRE MYTHIQUE

1 • Les pièces du cycle thébain chez Sophocle

● Le mythe est la matière même de la tragédie chez Sophocle. Mais le dramaturge, dans chaque pièce, interroge de façon nouvelle ces récits légendaires.

● Ainsi, **trois pièces de Sophocle se rattachent au cycle thébain** : *Antigone*, *Œdipe roi* et *Œdipe à Colone*. Elles auraient pu constituer une trilogie liée, c'est-à-dire représentée lors d'un même concours, avec l'ordre chronologique suivant : dans *Œdipe roi*, le héros découvre sa culpabilité ; puis, dans *Œdipe à Colone*, on assiste à sa mort ; enfin, *Antigone* se situe après la mort d'Œdipe et de ses deux fils.

● Pourtant, Sophocle n'a pas écrit les pièces la même année et s'est laissé guider par une inspiration personnelle plutôt que par la logique du cycle.

2 • Le resserrement dramatique et tragique chez Sophocle

● Une tragédie est une **représentation de l'action** (*drama*, en grec) **dans une durée condensée**. Aristote dans la *Poétique* (chap. 6) en souligne les raisons :

– « La tragédie est une action menée à son terme, formant un tout, et dotée d'une certaine étendue » : elle doit donner un sentiment de complétude au spectateur et ne peut donc s'éparpiller dans une action trop complexe, qui laisserait un sentiment d'inachevé ;

– « Les histoires doivent elles-mêmes avoir une certaine étendue, mais telle que la mémoire puisse aisément la saisir » : le spectateur doit pouvoir comprendre facilement le spectacle qui se déroule sous ses yeux.

● On comprend alors aisément les fondements de la célèbre règle de l'**unité de temps** qu'Aristote formule au chapitre 5 : « La tragédie s'efforce de se limiter, autant que possible, dans le temps d'une seule révolution du soleil, ou de ne le dépasser que de peu, tandis que l'épopée n'est pas limitée dans le temps. »

● Mais Aristote ajoute une analyse particulièrement adaptée à l'action dans *Œdipe roi* : « Disons que l'étendue qui permet de passer du malheur au bonheur ou du bonheur au malheur à travers une série de situations se succédant selon la vraisemblance ou la nécessité constitue une limite satisfaisante[1]. » **Passer du plus grand bonheur au plus grand malheur constitue exactement l'étendue d'*Œdipe roi*.**

3 • L'échelle d'une vie chez Pasolini

● Pasolini, en revanche, **déborde de l'espace-temps de la tragédie de Sophocle** et puise plus largement dans la matière mythologique.

● Le film utilise la vie d'Œdipe à une **échelle plus vaste** puisque la première partie évoque la petite enfance du héros, transposée à une époque moderne ; puis, au début de la deuxième partie, on assiste à l'abandon de l'enfant et au moment où le berger corinthien le recueille et le remet à son roi. Ensuite, c'est un Œdipe jeune homme qui est mis en scène et se heurte à la jalousie d'un de ses concitoyens qui lui apprend qu'il est un enfant trouvé. C'est alors tout l'épisode du début de la quête d'identité et de ses conséquences, qui est représenté : consultation de l'oracle de Delphes, puis confrontation avec le Sphinx et enfin arrivée au pouvoir à Thèbes. La dernière partie, dont l'espace-temps est moderne, montre l'exil d'Œdipe.

● Une tragédie embrassant la même durée et la même matière que le film de Pasolini nécessiterait sans doute cinq pièces : *Laïos*, *Corinthe* (ou l'enfant trouvé), *Le Sphinx*, *Œdipe roi*, *Œdipe à Colone*[2].

HÉROS MYTHIQUE, HÉROS TRAGIQUE, HÉROS MODERNE

1 • Le héros mythique : un héros triomphant

● Dans l'univers mythologique, le héros est d'une part un homme d'un courage et d'un mérite supérieurs, favori des dieux, accomplissant une série d'exploits ; d'autre part, il est souvent lié aux dieux par l'hérédité. Œdipe possède les deux caractéristiques de ce héros : le mérite par sa victoire sur un monstre (la Sphinx) et l'hérédité divine (son aïeule est Harmonie, fille d'Arès et d'Aphrodite).

---

1. Aristote, *Poétique*, traduction O. Bellevue et S. Auffret, Éditions Mille et Une Nuits, 1997.

2. *Laïos* et *Le Sphinx* sont des tragédies qui ont existé mais ne nous sont pas parvenues ; *Corinthe* (ou *Les Corinthiens*) est le nom – vraisemblable – que nous proposons pour une tragédie centrée sur le roi et la reine de Corinthe qui trouveraient le bébé Œdipe. On assisterait à leur détresse de ne pas avoir d'enfant et à leur joie de recueillir Œdipe. On passerait du malheur au bonheur, certes illusoire...

• Par cette appartenance au monde mythique, le héros tragique revendique pouvoir ou gloire. Œdipe se présente ainsi comme le sauveur de la cité (l. 405-415). Or, c'est cette supériorité que la tragédie va remettre en question.

2 • Le héros tragique : un homme qui doute et qui souffre

• La tragédie transforme un héros légendaire en un être humain qui souffre et affronte sa destinée.

• Ainsi, Œdipe, pourtant confiant dans sa raison, voit ses certitudes et par là même son pouvoir royal détruits par son destin et c'est d'abord à son doute et à son inquiétude que l'on assiste : « Je crains pour moi, ô femme, je crois avoir trop parlé » (l. 802-803) ; puis, à la fin de la pièce, on découvre avec le Chœur sa désillusion et sa souffrance : « Hélas ! hélas ! malheureux que je suis » (l. 1357).

3 • L'Œdipe pasolinien : un héros moderne ?

• Pasolini articule dans son film une temporalité moderne et une temporalité antique et tragique. Son protagoniste est donc *de facto* **à la fois un héros tragique et un héros moderne**.

• Œdipe devient d'abord un enfant jalousé par son père qui le voit comme un rival le privant d'une partie de l'amour de sa femme, au point de lui donner des envies d'infanticide. Puis, à la fin du film, Œdipe est transformé en mendiant dans une banlieue industrielle, rejeté du monde social, au milieu d'ouvriers qui le regardent avec indifférence.

• Que serait alors un « héros » moderne pour Pasolini ? Un être différent, confronté à l'incompréhension, voire à l'hostilité des autres ? **Œdipe est-il une figure de l'artiste moderne**, avatar d'une forme d'héroïsme ?

SENS ET FONCTION DU MYTHE DANS LA TRAGÉDIE ET DANS LE FILM

1 • L'incarnation d'un passé à rejeter

• Pour les Grecs de l'Antiquité, les mythes incarnent un passé plus ou moins lointain dont ils veulent **se démarquer**. Ils mettent en scène des rois de légende qui, d'un point de vue moral, pour le citoyen athénien du Ve siècle, s'apparentent à des monstres en raison de la gravité des fautes qu'eux ou des membres de leur famille ont commises.

• Chez les Labdacides, le tueur du monstre, Œdipe, est **lui-même un monstre** en commettant parricide, puis inceste, comme il le clame, les yeux ensanglantés, à la fin de la pièce (l. 1426-1436).

2 • Le reflet des conflits humains (*êthos* contre *daimon*)

● Le mythe concrétise la **dualité entre l'*êthos*** (le tempérament) **et le *daimon*** (génie attaché à chaque homme et personnifiant son destin). Le *daimon* prend véritablement corps dans la tragédie, par la malédiction divine dont sont victimes ses héros. Le tempérament d'Œdipe le pousse à connaître la vérité et à sauver sa ville, mais son destin le précipite en même temps dans le malheur.

● C'est la **condition humaine** même qui est **interrogée** : l'homme est-il libre de son destin ? Est-on maître et responsable de ses actes ? Comment la justice doit-elle prendre en compte la responsabilité ? Quelle est la valeur de l'action politique ?

3 • La lecture pasolinienne du mythe d'Œdipe

● L'adaptation de Pasolini reprend les **interrogations intemporelles** liées à l'histoire tragique d'Œdipe. Il questionne la liberté, la responsabilité, la quête d'identité, le pouvoir politique, la connaissance.

● Mais il lui ajoute une **signification personnelle** puisqu'il voit dans la figure d'Œdipe un double mythique qui peut mettre au jour certaines de ses angoisses personnelles : haine du père, haine du milieu social, quête de soi. Le film est donc pour le cinéaste l'occasion d'une **auto-analyse** qui lui permet de révéler ses propres difficultés à être.

● Cela explique sans doute pourquoi Pasolini a tenu à **inscrire son film dans une modernité** qui lui ressemble : l'Italie des années 1920, puis celle des années 1960. La diégèse[1] du film rejoint alors le temps de la réalisation du film, c'est-à-dire l'époque de Pasolini lui-même.

---

1. Diégèse : action et espace-temps de la fiction, par opposition au temps du récit (moment où l'histoire est racontée), de l'écriture (moment où le récit de l'histoire est écrit) ou de la réalisation (moment où l'histoire est filmée).

QUESTION 2

Comment Sophocle conçoit-il les rapports entre les hommes et les dieux dans *Œdipe roi* ?

LA COMMUNICATION TRAGIQUE ENTRE LES HOMMES ET LES DIEUX

1 • Des dieux absents mais proches

• L'existence de l'homme grec est **imprégnée de religiosité**. C'est pourquoi, dans la tragédie, le divin est constamment présent dans l'esprit des hommes. Mais si, chez Eschyle, les dieux peuvent être présents sur scène en tant qu'acteurs (dans *Les Euménides* par exemple), il n'en est rien chez Sophocle. Comme l'analyse Jean-Pierre Vernant, **la distance entre les hommes et les dieux est une des conditions du tragique** : « Pour qu'il y ait action tragique, il faut que se soit déjà dégagée la notion d'une nature humaine, ayant ses caractères propres, et qu'en conséquence les plans humain et divin soient assez distincts pour s'opposer ; mais il faut aussi qu'ils ne cessent pas d'apparaître inséparables[1]. »

• Cette caractéristique est manifeste dans *Œdipe roi*, où **les dieux et les hommes ne cessent de communiquer malgré leur éloignement physique**. La pièce commence dans l'atmosphère de religiosité inquiète qui a envahi la ville, marquée par les rituels de l'encens et du péan (l. 3-4).

2 • La communication oraculaire

• Dans la société grecque, on pouvait aussi communiquer avec les dieux par l'intermédiaire des **oracles**. Ils étaient transmis dans des sanctuaires par des interprètes choisis pour leur pureté, et dont la vie était consacrée à laisser parler un dieu à travers eux, dans un état de possession et de transe.

• Le plus célèbre était l'**oracle de Delphes**, où l'on venait consulter une femme appelée **la Pythie**. La mention de cet oracle est récurrente dans *Œdipe roi*, le plus souvent sous la dénomination métonymique de « Pythô ». Car l'oracle de Delphes est presque un **acteur à part entière** dans la pièce :

– sa consultation est la première action politique du roi Œdipe lorsqu'il annonce qu'il a envoyé Créon à Pythô ;

[1]. J.-P. Vernant, *Mythe et tragédie en Grèce ancienne* (1972), La Découverte/Poche, 2004.

– la réponse de l'oracle est à l'origine de l'édit solennel d'Œdipe ordonnant de condamner à l'exil le meurtrier de Laïos ;

– c'est ensuite Jocaste qui rappelle que son premier époux avait consulté l'oracle ;

– puis c'est au tour d'Œdipe de raconter comment lui aussi a consulté Pythô après qu'on lui eut dit qu'il était un enfant trouvé.

Dans chaque cas, l'oracle est la **source d'une causalité tragique**.

3 • La communication divinatoire

● Les messages divins pouvaient aussi être délivrés par l'intermédiaire des **devins**. Un devin est un individu doué du don de prophétie, don acquis dans des conditions extraordinaires.

● La **parole** de ces devins est **sacrée**, crainte et respectée. On le voit dans la façon dont Œdipe s'adresse à Tirésias au début de leur rencontre : « Nous ne voyons que toi, seigneur, qui puisses contre [le fléau] nous protéger et nous sauver » (l. 302-303). Le violent débat (*agôn*) entre Œdipe et le devin est l'un des moments forts de la pièce, car il montre clairement les tensions qui peuvent opposer les dieux et les hommes.

ŒDIPE, L'HOMME RÉVOLTÉ CONTRE LES DIEUX

1 • L'ambiguïté des dieux tout-puissants

● Les actes des héros tragiques s'inscrivent dans un ordre dominé par les dieux. Les personnages ou le Chœur ne cessent de le rappeler : leur sort est entre les mains des dieux et **ils leur font confiance** pour les guider et les aider.

– Au début de la pièce, le prêtre et les enfants sont à genoux devant les autels pour implorer l'aide des dieux face à leur malheur.

– Jocaste, au début du troisième épisode, est allée dans les temples porter des guirlandes et des parfums.

– La *parodos* du Chœur est également un moment fort où se manifeste la confiance que les hommes mettent dans les dieux, lorsqu'il invoque successivement Athéna, Artémis et Phœbos (l. 168-175).

● Or, cette **confiance** peut être **mise à mal** par le fait que les réponses des dieux sont masquées par le voile de l'**ambiguïté**. Ce que montre clairement le surnom d'Apollon, **Loxias** (« l'Oblique »), qui délivre des oracles dont le sens est source de contresens. De même, les réticences de Tirésias à dire ce qu'il sait peuvent être vues comme des conséquences de l'obscurité des messages des dieux.

2 • Le scepticisme révolté d'Œdipe

• Dès lors on voit chez Sophocle des personnages qui tentent de remettre en question, soit la religion avec ses rituels, soit l'ordre divin, quand celui-ci leur semble injuste et cruel.

• La **question du scepticisme** est **fondamentale** dans Œdipe roi puisque Œdipe et Jocaste vont tour à tour argumenter pour invalider les paroles de Tirésias et de ceux que Jocaste appelle les «serviteurs» de Phœbos : «Tu verras que jamais créature humaine ne posséda rien de l'art de prédire. Et je vais t'en donner la preuve en peu de mots. Un oracle arriva jadis à Laïos, non d'Apollon lui-même, mais de ses serviteurs» (l. 737-740). Forte de son expérience des oracles, Jocaste pense pouvoir démontrer rationnellement que ces oracles ne sont que des contes.

• Ce n'est donc pas Apollon que le couple tragique remet en cause, mais ceux qui prétendent parler en son nom. Pourtant, lorsque Œdipe conteste devant témoins, lui, le roi de Thèbes, la vérité des propos de Tirésias, représentant des dieux, sa révolte est déjà un **acte d'impiété**. Il accuse même le devin de vénalité : «[...] ce faux prophète, ce grand meneur d'intrigues, ce fourbe charlatan, dont les yeux sont ouverts au gain, mais tout à fait clos pour son art» (l. 402-404).

• La limite peut être vite franchie entre un scepticisme religieux remettant en cause la religion comme institution humaine et un **scepticisme spirituel** qui, certes, à aucun moment ne doute de l'existence des dieux, mais remet en question leur ordre et leur justice. Le Chœur se fait le témoin et le porte-parole de ce scepticisme : «Ainsi donc on tient pour caducs[1] et l'on prétend abolir les oracles rendus à l'antique Laïos ! Apollon se voit privé ouvertement de tout honneur. Le respect des dieux s'en va» (l. 923-925).

JUSTICE DIVINE ET JUSTICE HUMAINE

1 • La justice divine, implacable et aveugle

• Dans cette lutte des hommes contre les dieux, la question de la justice est fondamentale. Comme on le voit, l'ordre imposé par les dieux ne laisse que **peu de**

1. **Caducs** : invalidés, périmés.

place au pouvoir des hommes. Tirésias l'annonce gravement à Œdipe : « Bientôt, comme un double fouet, la malédiction d'un père et d'une mère, qui approche terrible, va te chasser d'ici » (l. 433-435). La phrase sonne comme un verdict incontournable : la justice des dieux va passer.

• Les dieux incarnent d'abord une **loi non écrite qui fixe des règles fondamentales** : celles-ci permettent l'existence même d'une société humaine. La justice divine interdit le meurtre, notamment le meurtre de parents, l'inceste, l'anthropophagie. Elle est aussi la garante de la civilisation par les lois de l'hospitalité. Or Laïos a enfreint ces lois lorsqu'il était l'hôte de Pélops en Élide[1]. La justice des dieux le punit à travers Œdipe qui, sans le savoir, commet les pires crimes.

• Dans l'épopée homérique, le châtiment est incarné par des déesses vengeresses. On en a une occurrence dans *Œdipe roi* : « *Déjà sur lui le fils de Zeus s'élance armé de flammes et d'éclairs, et sur ses traces courent les **déesses de mort**, les terribles déesses qui jamais n'ont manqué leur proie* » (l. 489-491). Génies de la mort, les **Kères**, filles de la nuit, ont un aspect hideux, des ailes noires et le corps recouvert d'un manteau de sang humain. Elles sucent le sang des morts et des blessés sur le champ de bataille. Dans la tragédie, elles sont invoquées dans une fonction qui les rapproche des **Érinyes**, déesses de la justice qui tourmentent les criminels et réclament vengeance aux descendants des victimes.

2 • Le châtiment d'Œdipe : de la justice divine à la justice humaine

• Certes Œdipe est puni par les dieux mais le châtiment qu'il s'inflige est la **suite logique de la loi qu'il a édictée**. Il s'exile, paria défiguré, pour purifier la cité de sa présence et ainsi la sauver, comme il l'avait promis à ces concitoyens.

• Ce passage sera confirmé dans *Œdipe à Colone*. À la fin de la pièce, Œdipe est jugé de concert, et par les dieux et par les hommes. On a donc l'impression que **les hommes aussi ont dit la justice** et que le temps de la justice divine aveugle et implacable est terminé.

---

1. Voir Repère 4, p. 87.

QUESTION 3

Comment Sophocle parvient-il à concilier les notions de fatalité et de liberté dans *Œdipe roi*?

LA FATALITÉ : DESSEIN DIVIN (LA *MOIRA*) OU HASARD (LA *TUCHÊ*)

1 • La fatalité incarnée par des dieux traçant le destin des hommes : la *Moira*

• La fatalité est **indissociable** de l'univers tragique. Au *fatum* latin (qui a donné le mot *fatalité*), correspondent en grec deux entités : la *Moira* et la *Tuchê*.

• La *Moira* est conçue à l'origine comme une divinité unique, puis comme une trinité incarnée par trois déesses, les **Moires**. Celles-ci sont l'expression de l'inflexibilité de la destinée humaine tracée d'avance et de l'heure de la mort, à laquelle nul ne peut se soustraire.

• Dans *Œdipe roi*, la *Moira* est invoquée par le Chœur au moment où chacun est dans l'attente des informations qui sauveront ou condamneront le couple royal : « *Ah ! fasse le **Destin** que toujours je conserve la sainte pureté dans tous mes mots, dans tous mes actes. Les **lois** qui leur (= les Moires) commandent siègent dans les hauteurs : elles sont nées dans le **céleste éther**, et l'**Olympe** est leur seul père ; aucun être mortel ne leur donna le jour ; jamais l'oubli ne les endormira : un **dieu puissant** est en elles, un dieu qui ne vieillit pas* » (l. 890-897).

• « *Destin* » traduit le mot *Moira* et il est accompagné d'une **divinisation des lois morales**, pensées comme filles d'une transcendance absolue incarnée par :

– « *le céleste éther* », région supérieure de l'air considérée comme la plus pure ;

– « *l'Olympe* », le mont où demeurent les dieux de la génération de Zeus ;

– le « *dieu puissant* », force divine non personnifiée.

• On voit combien l'idée de fatalité est un **pilier de la morale**. En effet, les Grecs ne pensent pas que leur destin est tracé de façon désordonnée ou absurde. Si destin il y a, c'est dans le **cadre d'un ordre cosmique et terrestre** auquel chaque homme participe. Le Chœur demande à rester *pur*, c'est-à-dire à se comporter selon les lois morales.

- Le destin d'Œdipe est à comprendre dans ce cadre moral: il a commis des crimes immoraux qu'il doit payer pour que l'équilibre général du monde continue à fonctionner.

2 • La fatalité pensée comme un hasard: la *Tuchê*

- Les Grecs ont aussi pensé la fatalité de façon plus abstraite par la **notion de fortune et de hasard**: la *Tuchê*, divinité moins redoutable que la *Moira*, qui personnifie le hasard, bon ou mauvais, juste ou injuste.

- Le poids de cette **fatalité aléatoire** apparaît pleinement dans une des répliques de Jocaste, à un moment où les deux protagonistes espèrent encore avoir échappé à leur destin (*moira*): « Et qu'aurait donc à craindre un mortel, jouet du **destin**, qui ne peut rien prévoir de sûr? Vivre au **hasard**, comme on le peut, c'est de beaucoup le mieux encore » (l. 1001-1002). Jocaste emploie deux mots pour souligner le caractère aléatoire de l'existence humaine: « destin » (*tuchê*) et « hasard » (*eikê*), *eikê* étant une locution qui se rattache à l'idée d'apparence des choses. Mais les deux mots font référence au caractère insondable de la destinée humaine. Cela confirme l'inutilité des oracles pour Jocaste et laisse entendre que l'homme ne peut que tenter sa chance dans un monde que, de toute façon, il ne peut maîtriser pleinement.

- **L'incertitude de la destinée humaine et la fragilité du bonheur sont des thèmes chers à Sophocle.** À plusieurs reprises, dans ses tragédies, il énonce peu ou prou la même formule attribuée au législateur athénien Solon: « On ne peut savoir, pour aucun mortel, avant qu'il soit mort, si la vie lui fut douce ou cruelle. » On la trouve *Les Trachiniennes,* dans *Antigone* et dans l'*exodos* d'*Œdipe roi*: « Gardons-nous d'appeler jamais un homme heureux, avant qu'il ait franchi le terme de sa vie sans avoir subi un chagrin » (l. 1563-1565).

3 • Naître ou ne pas naître

- Destin ou Fortune, la notion de fatalité est source d'une profonde **angoisse existentielle** chez Sophocle. À quoi bon naître, si l'homme est privé de libre arbitre et de la maîtrise de sa propre existence? Le sentiment de finitude, doublé du sentiment d'impuissance face au destin – quelle que soit sa forme –, entraîne un questionnement très pessimiste.

- Ce désespoir et cet aveu d'impuissance imprègnent le troisième *stasimon* d'*Œdipe roi* (l. 1246-1276), où le Chœur déduit de la tragédie d'Œdipe une **leçon**

générale et universelle très sombre sur la condition humaine. La lutte d'Œdipe est donc un peu à l'image de celle des hommes cherchant à gérer au mieux le poids de leur existence.

ŒDIPE FACE À SON DESTIN, UN HOMME LIBRE MALGRÉ TOUT ?

1 • Agir ou ne pas agir

• Malgré une pensée aussi imprégnée de fatalisme, la possibilité de la liberté existe bien. Certes l'action des héros tragiques n'a pas assez d'autonomie par rapport aux dieux pour se concevoir pleinement en dehors d'eux, mais la dépendance à l'égard du destin ne fait pas de l'homme une simple marionnette.

• On constate en effet que les héros tragiques ne sont pas des êtres passifs : ils **agissent, décident**, possèdent une grande énergie physique et morale. Œdipe décide de sauver sa ville en cherchant qui est le meurtrier de son père. Quand il doit répondre aux supplications de son peuple au début de la pièce, il formule toute la complexité de la décision qu'il va prendre (l. 144-154), tout en montrant à quel point cette décision est le fruit de sa volonté guidée par sa raison, tout en étant dans le même temps soumise à la volonté du dieu.

• Œdipe est donc un **individu têtu, volontaire, déterminé**. Et toute sa grandeur tient dans son désir de faire passer l'honneur avant la vie, le bien collectif avant le bien-être individuel et d'assumer jusqu'au bout les conséquences de ce choix. Est-ce un choix libre ?

2 • Existe-t-il un choix libre pour le héros tragique ?

• Quand Œdipe tue son père, épouse sa mère, sans le savoir ni le vouloir, il est le jouet d'un destin que les dieux lui ont imposé dès avant sa naissance. Il n'est donc aucunement libre de ses actes, pris dans un engrenage fatal implacable qu'il n'a pu à aucun moment enrayer : « Je me révèle le fils de qui je ne devais pas naître, l'époux de qui je ne devais pas l'être, le meurtrier de qui je ne devais pas tuer ! » (l. 1243-1245).

• Cependant, lorsqu'un messager vient annoncer l'automutilation d'Œdipe, le Chœur présente cet acte comme un nouveau malheur que le roi s'impose à lui-même de façon délibérée : « *Parmi les malheurs, les plus affligeants ne sont-ils pas ceux justement qui sont nés d'un libre choix ?* » (l. 1284-1285).

• On a donc d'un côté les **épreuves anciennes**, dont Œdipe n'est pas responsable, qui ont une **causalité divine**. De l'autre, la mutilation que le héros s'inflige à lui-même et qui a donc une **causalité humaine**. Ces deux causalités n'en sont pas moins **simultanées et inséparables**. En témoigne l'échange entre Œdipe et le Chœur. Au Chœur qui lui demande : «Quel dieu poussa ton bras?» il répond : «*Apollon, mes amis! oui, c'est Apollon qui m'inflige à cette heure ces atroces, ces atroces disgrâces qui sont mon lot, mon lot désormais. Mais aucune autre main n'a frappé que la mienne, la mienne, malheureux!*» (l. 1374-1377). La liberté du héros tragique ne peut donc se penser hors de la fatalité divine.

ŒDIPE, FILS DE LA *TUCHÊ*, VICTIME DE LA *MOIRA*

• Le héros tragique peut, librement, tenir conseil en lui-même, peser le pour et le contre, prévoir comment mettre en œuvre ses décisions – c'est ce que met en scène *Œdipe roi* –, mais il doit aussi miser sur l'inconnu et l'incompréhensible et tenter le destin, sans savoir s'il lui sera favorable ou non.

• Ainsi, quand Œdipe sent l'étau de son destin se refermer sur lui, il veut encore croire qu'il y a échappé. C'est pourquoi il s'imagine fils de la *Tuchê*, la Fortune, dans un sens favorable. Il préfère être un enfant trouvé, qui a finalement son sort entre ses mains (l. 1130-1135). Œdipe croit avoir trouvé une façon de prendre sa revanche sur le mystère de ses origines : la fierté de n'être le fils de personne, d'être un homme qui s'est fait tout seul. Or, toute l'action d'*Œdipe roi* consiste à lui révéler qu'il est plutôt la victime d'une *Moira* impitoyable.

• La question de la liberté humaine reste donc **ouverte** chez Sophocle.

QUESTION 4

En quoi *Œdipe roi* est-elle une tragédie politique ?

LE CONTEXTE HISTORIQUE SOUS-JACENT

1 • La place de la tragédie dans la vie de la cité

● Tragédie et politique sont intimement liées. Non pas que les tragédies soient les instruments de propagande ou à l'inverse des pamphlets politiques, mais c'est dans l'essence même de la tragédie que d'être liée à la **politique**, cette gestion des affaires de la *polis* (« cité » en grec).

● La cité gère en effet toute l'organisation des concours tragiques, qui sont une véritable fête de la collectivité.

2 • Le Chœur : porte-parole de la collectivité

● Le chœur confère *de facto* une dimension politique à toute tragédie, dans la mesure où il **représente la collectivité des citoyens**. Il exalte et incarne les valeurs nationales, religieuses et civiques.

● Sa place sur scène, sur l'*orchestra*, **près de l'autel de Dionysos**, est hautement symbolique. Dionysos est le dieu auquel est consacré le concours tragique. Le Chœur, composé de vieillards thébains dans la pièce, nous rappelle donc sans cesse le sens religieux de la tragédie, comme on le voit dans son éclatante prière au début de la *parodos*. La cité est tout entière soumise à la volonté des dieux.

● Mais le Chœur ne manque pas de s'adresser également à son roi, conscient du fait que le sort de la cité dépend aussi des décisions politiques de celui qui la gouverne.

3 • La réflexion sur la tyrannie

● La réflexion sur le pouvoir ne se fait pas à travers des références à l'actualité, quasi absente chez Sophocle. En revanche, en mettant en scène des *turannoi*, c'est à une réflexion sur la démocratie[1] en train de se constituer que nous invite Sophocle.

● La tyrannie est un système politique dans lequel la cité délègue ses pouvoirs à un seul homme, de façon plus ou moins contrainte, dans une situation de crise. Le terme n'a **pas de sens négatif**. La tyrannie peut s'exercer par le mérite du *turannos*.

1. À Athènes, l'abolition de la tyrannie ne date que de 510.

• Or, les héros mythiques mis en scène dans les tragédies appartiennent à l'univers aristocratique que la cité a récemment rejeté : « *La démesure enfante le tyran* », dit le Chœur (l. 898). Lorsque le pouvoir est concentré dans les mains d'un seul homme, les risques de **dérives liées à l'exercice autocratique du pouvoir** sont fréquents (l. 898-909).

• Œdipe incarne parfaitement ces tyrans prêts à défendre leur autorité au nom du bon fonctionnement de la cité. N'oublions pas que la pièce, en grec, se nomme *Oidipous turannos*.

ŒDIPE, HOMME D'ÉTAT MODÈLE ?

1 • Le sauveur de la cité

• Le début de la pièce nous révèle en quoi Œdipe incarne ce que l'on attend d'un **homme d'État**. Lorsque le prêtre fait appel à lui dans le prologue (l. 39-49), il voit en lui un homme providentiel, une espèce d'élu, qui a su autrefois délivrer les Thébains de « l'horrible Chanteuse », « par l'aide d'un dieu ». Il y a donc derrière cette attitude une mystique du pouvoir politique.

• Or, le discours du prêtre ne cesse de jouer sur les deux hypothèses : soit Œdipe est un instrument envoyé par les dieux pour sauver les Thébains, soit il est « le meilleur des humains ». On est donc bien dans une bipolarité, dans une **tension entre l'ordre divin et l'ordre humain** à laquelle Œdipe répond bien volontiers. Il se montre roi paternel en disant « mes pauvres enfants » (l. 56) à ses concitoyens, mais aussi empathique lorsqu'il fait sienne la souffrance des Thébains : « Mon cœur à moi gémit sur Thèbes et sur toi et sur moi tout ensemble » (l. 61-62). Il souligne ainsi la **lourdeur de la charge d'homme d'État**.

2 • L'homme d'action

• Dès lors, Œdipe va répondre aux attentes de ses administrés (l. 62-66). Car l'homme d'État doit être un homme d'action. C'est donc la valeur réelle de l'action politique qui est interrogée. Toute la subtilité de la pièce est de nous montrer à quel point Œdipe va tomber dans l'**illusion du pouvoir**, dans la croyance que son action d'homme politique est suivie d'effets.

• On voit, au moment du prologue, un enchaînement qui paraît limpide et prometteur. L'ordre d'Œdipe a été efficace, puisque Créon revient porteur d'une bonne nouvelle, « une réponse heureuse » (l. 86) : il suffit, dit Créon, de trouver meurtrier de Laïos pour purifier la ville de la souillure responsable de la peste. À la fin du prologue, Œdipe est convaincu de pouvoir résoudre l'énigme – la nouvelle énigme. Le règne de la rationalité politique intervient (l. 142-146).

3 • L'édit du tyran

• La concrétisation de l'action politique est à son sommet lorsque Œdipe va répondre aux prières du Chœur juste après la *parodos* (l. 213-266). Là, c'est le pouvoir terrestre qui vient se substituer au pouvoir spirituel. Le Chœur avait imploré les dieux et c'est un homme qui lui répond.

• La prise de parole se fait dans toute la **solennité du pouvoir du tyran**, au cours d'une longue tirade d'une soixantaine de vers. Par le **décret** qu'il formule, Œdipe prend une décision forte. Pour un Grec, l'excommunication est en effet un châtiment plus lourd que la condamnation à mort : c'est l'**interdiction de toute vie civique, familiale, religieuse**, ce qui prive l'homme de son humanité. On comprend dès lors pourquoi, à la fin de la pièce, Œdipe s'appliquera à lui-même cette condamnation et ne se donnera pas la mort.

• On remarque par ailleurs dans la tirade d'Œdipe toutes les **qualités oratoires** attendues d'un homme politique : elle est brillante, assurée, avec un effet final de chute sur l'image pathétique et désolée de Thèbes.

ŒDIPE FACE À CRÉON : UN QUESTIONNEMENT DE PHILOSOPHIE POLITIQUE

1 • La question de l'accès au pouvoir et de sa légitimité

• La réflexion politique apparaît de façon très concrète dans l'affrontement qui oppose Œdipe et Créon (l. 541-658). Cette lutte verbale, à l'aide des **stichomythies**, est violente.

• C'est d'abord une discussion sur la **légitimité du pouvoir**. Œdipe accuse Créon de vouloir s'emparer illégitimement du pouvoir (l. 546-550). On accède au pouvoir par le peuple ou par l'argent, dit Œdipe, s'estimant légitime sur le trône de Thèbes car il a sauvé le peuple qui lui est redevable et qui l'aime.

• On accède également au pouvoir par alliance et par héritage, répond Créon, qui ne dément guère la légitimité du pouvoir d'Œdipe et ajoute même que son mariage avec Jocaste lui donne aussi le pouvoir par héritage (l. 596 et 599-600).

2 • La question de la préservation du pouvoir

• Quels sont les risques qui menacent le pouvoir en place ? Ici, c'est le **syndrome de Damoclès**[1] qui se déploie. Accéder au pouvoir est une chose, y rester en est une autre. Développement d'une théorie du complot, délire jaloux du tyran sont les conséquences de cette fragilité. Et c'est exactement ce qui va se passer avec Œdipe, qui va croire que son malheur vient d'un complot fomenté contre lui par Créon et Tirésias (l. 567-590).

• Pourtant, Créon, loin de le chercher, fuit le pouvoir, lui préférant ses à-côtés (« vivre comme un roi », l. 610-612).

3 • La question du bonheur du tyran

• Il s'agit là d'une **problématique philosophique** traitée, par exemple, par Platon dans *Gorgias* : le tyran fait-il ce qu'il veut et par-là même est-il heureux ?

• On constate qu'Œdipe, au début de la pièce, semble être un tyran heureux, aimé de ses administrés, entouré d'une famille prospère. Mais, au cours de l'affrontement avec Créon, on assiste clairement à une dégradation de sa situation.

• Le pouvoir du tyran repose sur un **équilibre instable**. C'est dans la voie de la violence que s'engage le « bon » tyran Œdipe, en insultant violemment son beau-frère et en le menaçant de mort. Œdipe est alors victime de son orgueil et de sa démesure.

---

1. Damoclès : courtisan du tyran Denys de Syracuse (IVᵉ siècle av. J.-C.), envieux du bonheur de son maître. Denys lui proposa alors de prendre sa place. Il l'entoura de tous les signes extérieurs de richesse et de bien-être : table aux mets les plus exquis, cortège de serviteurs à ses ordres, danseuses et musiciens. Mais il prit soin de faire suspendre au-dessus de sa tête une lourde épée retenue par une corde en crin de cheval, pour lui montrer la fragilité du pouvoir, sans cesse menac[é] par des dangers.

QUESTION 5

En quoi *Œdipe roi* est-elle une tragédie du bonheur ?

DES PERSONNAGES À LA RECHERCHE DU BONHEUR

1 • Le droit au bonheur

● Tout homme aspire au bonheur et le cherche. C'est le **désir** auquel sont subordonnés les autres désirs humains. Laïos, Jocaste, Œdipe ont cru qu'ils avaient droit au bonheur. Accablés par une malédiction leur promettant les plus grandes misères, ils ont voulu détourner le malheur en agissant. C'est ce que rappelle Œdipe au Corinthien : « Loxias[1] m'a déclaré jadis que je devais entrer dans le lit de ma mère et verser de mes mains le sang de mon père. C'est pourquoi depuis longtemps je m'étais fixé bien loin de Corinthe – pour mon **bonheur**, sans doute, bien qu'il soit doux de voir les yeux de ses parents » (l. 1021-1025).

● Dans l'univers tragique, le bonheur consiste à **tenter sa chance**. Tout est possible, dit Créon, lorsqu'il arrive pour la première fois sur scène : « Crois-moi, les faits les plus fâcheux, lorsqu'ils prennent la **bonne route**, peuvent tous tourner au **bonheur** » (l. 86-88).

● La **métaphore de la route** est signifiante : la vie est un itinéraire aux nombreuses bifurcations. Le droit au bonheur, c'est de se dire qu'il est possible de prendre le bon chemin. En ce sens, Œdipe est un modèle de volonté, qui, à partir du moment où il a pris en main son destin, a tout fait pour fuir la fatalité et accéder au bonheur.

● Le **volontarisme d'Œdipe** est ce qui le conforte dans l'idée qu'il est un homme heureux : par sa seule volonté et par son intelligence, il a su vaincre les épreuves envoyées par la vie. C'est ce qu'il clame haut et fort à Tirésias, à qui il démontre qu'il a mérité le trône de Thèbes et la place à laquelle il est arrivé (l. 404-414).

2 • Des êtres comblés

● Œdipe et Jocaste apparaissent donc, avant la série de révélations, comme des **êtres heureux**, comblés par le destin. Quand le Corinthien arrive à la cour de Thèbes, il célèbre cette réputation : « Qu'elle [Jocaste] soit heureuse à jamais au

---

[1]. **Loxias**, « l'Oblique », désigne Apollon.

milieu d'enfants heureux, puisqu'elle est pour Œdipe une épouse accomplie !
(l. 1271-1272).

● C'est également l'opinion du Chœur à la fin de la pièce (l. 1254-1255) : Œdipe
était, à l'échelle des mortels, **le plus heureux des hommes**.

3 • Croire désespérément au bonheur

● Sophocle nous montre également combien le bonheur est une affaire d'**état
d'esprit**. Jocaste et Œdipe se croient heureux, à l'abri du malheur qui leur avait été
prédit. Ils croient qu'ils ont conquis honnêtement leur bonheur.

● Œdipe pense qu'il a obtenu les **ingrédients du bonheur en lieu et place de
Laïos**. Il s'identifie au roi mort dont il s'estime en quelque sorte l'héritier :
« Le meilleur des rois avait disparu [...] Je me vois à cette heure en possession du
pouvoir qu'il eut avant moi, en possession de son lit, de la femme qu'il avait
déjà rendue mère ; des enfants communs seraient aujourd'hui notre lot
commun [...] ! » (l. 250-255).

● C'est pourquoi Œdipe et Jocaste se montreront **imperméables** aux révélations
qui leur seront faites. Œdipe, face à Tirésias, est incapable d'admettre l'horrible
réalité que lui présente de plus en plus explicitement le devin : « Tirésias. – « Je dis que
c'est toi l'assassin cherché. / Œdipe. – Ah ! tu ne répéteras pas telles horreurs impu-
nément ! » (l. 371-373). Puis c'est Jocaste qui tentera de détruire la validité des oracles
en démontrant que les faits sont des preuves intangibles que ce qu'ils avaient prévu
ne s'est pas réalisé : « Là aussi, Apollon ne put faire ni que le fils tuât son père, ni que
Laïos, comme il le redoutait, pérît par la main de son fils » (l. 746-748).

● En se masquant la vérité de leur existence, ce couple maudit a voulu **croire
coûte que coûte à son bonheur**.

UNE MÉDITATION SUR LA FRAGILITÉ DU BONHEUR

1 • Le bonheur en question comme essence du tragique

● Ce que souligne la réflexion tragique, c'est l'**incertitude du bonheur**. Sophocle
n'interroge pas les outils qui permettent d'accéder au bonheur, comme le font les
philosophies épicurienne et stoïcienne. Pour définir le bonheur d'Œdipe, il s'ap-
puie sur les **signes extérieurs du bonheur**, tels que définis par l'opinion com-
mune : un mariage heureux, des enfants, l'aisance matérielle.

● Mais, nous dit Sophocle, **loin d'être un état durable**, le bonheur est soumis à des aléas extérieurs qui le fragilisent. Chacun peut construire son bonheur, puisqu'il n'y a sans doute pas d'ingrédients universels du bonheur, mais cette construction peut s'avérer vaine et inutile car nul homme n'a accès à ce que le destin a prévu pour lui ni ne maîtrise ce qui entrave l'accès au bonheur.

● Aristote, lorsqu'il analyse la durée dans la tragédie, considère qu'il faut une étendue « qui permet de passer du malheur au bonheur ou du bonheur au malheur à travers une série de situations se succédant selon la vraisemblance ou la nécessité[1] ». La question du bonheur est donc **au cœur de la réflexion tragique**. Les héros tragiques sont le reflet grossi et effrayant de la condition humaine soumise à une existence fragile et aléatoire.

• Une structure cathartique : plus dure sera la chute

● La vie d'Œdipe est **exemplaire de ce qui menace toute existence humaine**. Parce qu'il a été l'homme le plus heureux, il devient l'homme le plus malheureux, signant l'impossibilité de l'accès au bonheur pour tout être humain. C'est la leçon que le Chœur tire du sort d'Œdipe : « *Quel est, quel est donc l'homme qui obtient plus de bonheur qu'il n'en faut pour paraître heureux, puis, cette apparence donnée, disparaître de l'horizon ? Ayant ton sort pour exemple, ton sort à toi, ô malheureux Œdipe, je ne puis plus juger heureux qui que ce soit parmi les hommes* » (l. 1248-1253).

● Ce **passage radical du haut vers le bas** constitue tout l'intérêt de la pièce tragique. Œdipe nous ressemble, mais il est aussi au-dessus de nous : ce qu'il a vécu, nous le vivons dans une moindre intensité. Son bonheur a été grandiose, c'est pourquoi tous l'admiraient. Mais son malheur est proportionnel à cet excès de bonheur, comme le montre la démultiplication de l'adjectif « malheureux » à la fin de la pièce. Être malheureux est devenu une **sorte d'identité** pour Œdipe, un état social (l. 1357, 1441, 1475).

● Ce qui se joue là, c'est l'**effet cathartique** de la tragédie. En regardant le sort éminemment malheureux d'Œdipe, le spectateur vit à distance des émotions fortes, dont il doit se protéger, se purifier, dit Aristote, mais aussi tirer des leçons sur la façon de mener sa propre vie.

---

[1] Aristote, *Poétique*, traduction O. Bellevue et S. Auffret, Éditions Mille et Une Nuits, 1997.

3 • Le bonheur est-il l'ignorance du malheur ?

• Toute la structure d'*Œdipe roi* consiste à montrer qu'Œdipe était heureux **parce qu'il ignorait la réalité de ses maux**.

• La leçon de la pièce est-elle qu'il vaut mieux vivre dans l'illusion du bonheur plutôt que d'ouvrir les yeux sur la dure réalité ?

– Certaines répliques de Tirésias peuvent en donner l'impression : « Va, laisse-moi rentrer chez moi : nous aurons, si tu m'écoutes, moins de peine à porter, moi mon sort, toi le tien » (l. 318-319).

– De même, Jocaste conseille à Œdipe de ne pas aller plus loin : « De tout ce qu'on t'a dit, va, ne conserve même aucun souvenir. À quoi bon ! » (l. 1105-1106). Elle cherche donc une ultime issue : ignorer la vérité et **vivre dans le mensonge et l'illusion**.

– Enfin, l'échange final entre le Chœur et Œdipe, à l'irréel du passé, semble indiquer qu'il **aurait mieux valu ne rien savoir** : « Comme j'aurais voulu que tu n'eusses rien su ! » (l. 1386).

• Pourtant, cette interprétation est démentie par plusieurs faits. D'une part, la logique du mythe et de la pièce est que **la vérité est indispensable** car elle est une **valeur en soi**. L'illusion est un état condamné par les Grecs, comme on le voit dans la célèbre allégorie de la caverne de Platon au livre VII de *La République*.

• D'autre part, si les dieux imposent des épreuves aux hommes, c'est pour les hisser vers une plus haute conception d'eux-mêmes. Certes le tableau d'ensemble semble pessimiste. L'homme est un être faible et misérable face à des forces qui le dépassent, mais il peut être aussi **source de grandeur** : le sort d'Œdipe est terrible mais il est admirable. Le fait d'accepter le sort auquel il se condamnait lui-même sans le savoir montre qu'il a enfin accédé à la vérité et à une forme de sagesse. Peut-être n'est-il pas heureux, mais il est **sorti de l'illusion du bonheur**.

QUESTION 6

En quoi *Œdipe roi* est-elle une tragédie de la vérité ?

UN HÉROS QUI SE FOURVOIE DANS L'ERREUR

1 • Un accès au savoir en apparence facile

• Les tragédies de Sophocle sont souvent porteuses d'une réflexion sur le **rapport de l'homme à la vérité**. Comment le héros tragique accède-t-il à la vérité ? Deux voies se présentent : le **savoir transmis par les dieux** et le **savoir acquis par l'intelligence**.

• Les Grecs demandaient surtout aux **oracles** de les aider à choisir entre deux possibilités : me marierai-je ou pas ? Devons-nous faire la guerre ou pas ? Œdipe, lui, attend de l'oracle delphique une vérité : qui sont ses parents ?

• Le héros peut aussi accéder au savoir en faisant confiance à son **intelligence** (*logos*, en grec). C'est grâce à sa logique réflexive qu'Œdipe résout l'énigme de la Sphinx. Par un jeu de mots sur son nom, **Œdipe est celui qui sait**. En effet, si, étymologiquement, Œdipe signifie « Pieds Enflés », dans les deux premières syllabes de ce nom on entend la racine du verbe grec *oida*, « je sais ». Fier de son intelligence, il pense même que son savoir est proche de celui des devins, comme il le dit à Tirésias (l. 407-409). Cependant Œdipe confond là l'énigme rationnelle à la portée d'un humain et l'énigme venue des dieux.

2 • Un savoir énigmatique

• La **parole** de l'oracle est **voilée**, son message n'est jamais directement interprétable. Ce que montre l'un des qualificatifs attribués à Apollon : Apollon est dit *Loxias*, c'est-à-dire « **l'Oblique** », celui qui délivre des messages ambigus.

• Dans le cas d'Œdipe, **le contexte du message est faussé**. Œdipe est averti par l'oracle qu'il tuerait son père et épouserait sa mère, ce qui, comme il le dit à Jocaste, ne correspond pas à la question qu'il lui avait posée (l. 820-825). L'oracle élude le fait que le roi et la reine de Corinthe ne sont que ses parents adoptifs et prononce la terrible prédiction sur le parricide et l'inceste.

• Le spectateur, lui, comprend le caractère insidieux de ce savoir quand il voit Œdipe tenter d'interpréter ce que l'oracle de Delphes a appris à Créon. Tout le passage est placé sous le couvercle invisible de l'**ironie tragique**. Car Œdipe ne peut pour l'instant accéder à la vérité contenue dans les mots de l'oracle : il est cette souillure que nourrit le pays, mais il ne le sait pas ; le compagnon de route qui s'est échappé a menti, mais il ne le sait pas (l. 94-154).

• Œdipe est dans **sa logique** : c'est la Sphinx qui empêchait les Thébains de mener l'enquête ; l'ayant tuée, il peut donc se charger de l'enquête.

3 • L'ambiguïté du langage

• Ainsi, « quand Œdipe parle, il lui arrive de dire autre chose ou le contraire de ce qu'il dit. [...] **Il constitue par lui-même une énigme** dont il ne devinera le sens qu'en se découvrant en tout point le contraire de ce qu'il croyait et paraissait être[1] ». Œdipe dit la vérité sans le savoir ; en ce sens il se rapproche du langage des dieux qui savent et disent la vérité, mais toujours de façon ambiguë.

• On peut également avoir l'impression que, par ce **double langage**, les dieux abusent les humains, jouent avec leur capacité d'interprétation, comme s'ils voulaient les faire redescendre de leurs certitudes rationnelles.

UNE TRAGÉDIE DE LA RECONNAISSANCE

1 • Savoir, trop tard

• Œdipe finit par connaître la vérité sur ses actes. Mais il est trop tard. La dynamique de la **reconnaissance** est un ressort puissant de la structure des tragédies grecques. Pour soutenir l'intérêt de la pièce, le dramaturge doit en effet ménager ce qu'Aristote appelle des « **péripéties** », qu'il définit comme un « renversement qui inverse l'effet des actions », prenant comme exemple un épisode d'*Œdipe roi*.

• Ainsi, lorsque le messager annonce à Œdipe la mort du roi de Corinthe, il lui révèle du même coup que celui-ci n'était que son père adoptif, avant de lui désigner le berger qui l'a sauvé autrefois, par lequel le héros, d'abord rassuré, puis horrifié, apprendra son parricide et son inceste. Là, le jeu cruel du destin est associé à une **reconnaissance**, définie par Aristote comme « un renversement qui fait passer de l'ignorance à la connaissance ».

• **Programmée** dès les premiers vers de la tragédie, cette **prise de conscience de la vérité** est pour Œdipe synonyme de souffrance et de déchéance, les méandres

1. J.-P. Vernant, « Ambiguïté et renversement : sur la structure énigmatique d'*Œdipe roi* », dans *Mythe et tragédie en Grèce ancienne* (1972), Éditions La Découverte/Poche, 2004.

de l'intrigue n'ayant servi qu'à retarder le coup qui le frappe. La découverte de la vérité se produit alors que tout est déjà accompli depuis longtemps, ce qu'Œdipe exprime avec horreur et désespoir : « Hélas ! hélas ! ainsi tout à la fin serait vrai ! [...] Je me révèle le fils de qui je ne devais pas naître, l'époux de qui je ne devais pas l'être, le meurtrier de qui je ne devais pas tuer ! » (l. 1241-1245).

2 • Le paradoxe du regard

• Tout l'**enjeu dramatique** d'*Œdipe roi* tourne autour de la question de la connaissance, de l'erreur et de la reconnaissance.

• C'est la **double métaphore des ténèbres et de la lumière** qui va servir de support à Sophocle dans la lutte entre Tirésias et Œdipe : Œdipe est celui qui voit et croit savoir, et qui par là même s'aveugle sur son sort ; Tirésias est celui qui physiquement ne voit pas mais qui sait. Dans le film de Pasolini, Œdipe ne cesse de se couvrir les yeux, comme pour signaler qu'il s'aveugle lui-même ou qu'il refuse de voir la vérité là où elle est.

• Or, c'est au moment où il découvre la vérité qu'Œdipe s'aveugle physiquement. Paradoxalement, sa découverte l'entraîne dans le monde obscur et solitaire de Tirésias (l. 1362-1363). La connaissance n'est donc pas dans la lumière, mais dans les ténèbres.

• Œdipe est donc **l'homme qui a trop vu**. La connaissance que les dieux finissent par lui délivrer est une lumière trop vive pour qu'il puisse la supporter. En rejoignant la nuit, Œdipe accède à une forme de savoir inaccessible au simple mortel. Sophocle **remet donc en question l'équivalence entre lumière et connaissance** – et pas seulement sur un plan métaphorique –, en nous disant que la vérité du destin de l'homme ne lui est sans doute pas accessible.

LA QUÊTE DE SOI

1 • Une vérité individuelle

• On peut aussi considérer que la question de la vérité est traitée dans *Œdipe roi* de façon **psychologique**. Une lecture plus moderne de la pièce peut y voir le problème du moi et de son authenticité. Il ne s'agit pas, alors, d'une vérité absolue, mais d'une **vérité sur soi**, comme individu singulier.

• C'est sans doute cette signification qui intéresse Pasolini. Le parcours d'Œdipe est pour lui une **figuration mythique de sa propre quête d'identité** ; c'est pourquoi il place le mythe dans un espace-temps moderne. En nous présentant Œdipe au milieu des autres hommes, en démultipliant les figurants, Pasolini met en scène la **singularité face à la collectivité**, la difficulté d'être soi au milieu des autres. L'Œdipe pasolinien nous est montré, depuis sa prime jeunesse, essayant de trouver sa place : au début du film, l'enfant, qui marche à peine, va jusqu'au balcon observer les adultes de l'autre côté de la place. Il entrevoit son père et sa mère en train de danser. On entend alors un coup de tonnerre – en réalité un feu d'artifice. Mais la caméra a suivi le point de vue de l'enfant qui découvre seul le monde et en décrypte les significations.

2 • Une vérité existentielle

• La quête de soi a également une **valeur métaphysique**. Au-delà de l'histoire singulière d'Œdipe, c'est l'histoire de tout homme que figure le mythe. Chacun doit faire le cheminement philosophique qui lui permettra de comprendre sa place dans le monde, d'assumer sa finitude, sa condition d'homme.

• L'ensemble du mythe **commence par une naissance et se termine par une mort**, celle d'Œdipe à Colone, absous par les dieux. Le film de Pasolini épouse cette ligne et l'interprète comme un cercle puisque la fin du film nous ramène à la verte prairie où l'enfant fut abandonné. Les derniers mots d'Œdipe sont alors : « Je suis de retour. La vie finit où elle commence. » Avant de boucler la boucle et de trouver une forme d'apaisement dans la mort, l'individu affronte sa famille, la société, ses propres angoisses. En ce sens, Pasolini fait d'Œdipe un homme simple qui nous ressemble, devant **lutter contre les différentes aliénations** qui l'entravent : Pasolini convoque à la fois Freud et Marx pour expliquer le cheminement d'Œdipe vers sa vérité.

QUESTION 7

Comment le thème de la souillure est-il traité dans la pièce et dans le film ?

LE SENS RELIGIEUX DE LA SOUILLURE

1 • Crainte et respect des dieux

• L'idée de **souillure** ne peut se comprendre que dans un **cadre religieux**. La vie d'un Grec de l'Antiquité est imprégnée de religiosité : des divinités protègent sa maison, ses activités professionnelles, sa famille, les groupes sociaux dont il fait partie. C'est pourquoi il doit respecter les rites, pour que le courroux divin ne retombe pas sur lui ou sa famille. Il est primordial que les hommes **restent à leur place dans le cosmos[1]** : en aucun cas, ils ne doivent changer l'ordre du monde en tentant de rivaliser avec les dieux.

• Une place importante est donc accordée aux **sacrifices et autres rites religieux** dans *Œdipe roi*. À deux reprises, sont mis en scène des rituels visant à se rendre les dieux favorables : au début du prologue, les enfants sont « pieusement parés de rameaux suppliants » (l. 2-3) ; au début du troisième épisode, Jocaste arrive sur scène avec le désir d'« aller dans les temples des dieux porter de [ses] mains guirlandes et parfums » (l. 926-928).

2 • Le sacré, le pur et l'impur

• Respecter les dieux c'est aussi les considérer comme sacrés, c'est-à-dire inviolables. Celui qui dégrade cette sacralité est dit « **sacrilège** » : « *Celui [...] qui va son chemin, étalant son orgueil dans ses gestes et ses mots, sans crainte de la Justice, sans respect des temples divins, celui-là, je le voue à un sort douloureux [...], du jour qu'il se révèle apte à ne [pas] même reculer devant le sacrilège, à porter follement les mains sur ce qui est inviolable* », s'exclame le Chœur (l. 906-912).

• Or, le **désordre religieux et moral** qui règne à Thèbes remet en question le caractère sacré des dieux. Si on ne fait plus confiance aux dieux, si le désordre physique règne, c'est que les lois morales ont été bafouées. C'est pourquoi le Chœur demande à rester pur, c'est-à-dire protégé de tout acte immoral :

---

1. **Cosmos** : univers organisé.

« *Ah ! fasse le Destin que toujours je conserve la sainte* **pureté** *dans tous mes mots, dans tous mes actes* » (l. 890-891).

3 • La souillure de la mort

● L'une des lois morales qui maintiennent le monde en équilibre est celle qui condamne le meurtre. La **mort violente**, par le sang versé, est une **souillure**. Dans les poèmes homériques, cette souillure n'a pas encore d'implication morale. Lorsque le meurtrier a lavé le sang qui macule son corps et ses vêtements, il retrouve son état de pureté.

● Au Ve siècle, en revanche, le **meurtre** est considéré comme une faute grave, qui souille son auteur mais aussi la collectivité. On comprend dès lors le sens de l'oracle rapporté de Delphes : « Sire Phœbos nous donne l'ordre exprès "de chasser la souillure que nourrit ce pays" » (l. 96-97). Or c'est cette souillure qui se manifeste par la **peste**.

LA PESTE : UNE SOUILLURE SOURCE DE LA CRISE TRAGIQUE

1 • Un bouleversement de l'ordre de la nature

● Au début de la pièce, le désordre règne, la ville est plongée dans une atmosphère de **religiosité inquiète** : « La ville est pleine tout ensemble et de vapeurs d'encens et de péans[1] mêlés de plaintes », s'exclame Œdipe (l. 3-4). Le peuple de Thèbes s'en remet à ses dieux pour le sortir de la souffrance qui l'accable.

● On assiste alors à un **tableau apocalyptique du malheur**, vu comme un bouleversement de l'ordre de la nature. Sophocle file le motif des mécanismes biologiques enrayés : les cycles de la reproduction ne fonctionnent plus, ni dans le monde végétal, ni dans le monde animal, ni dans le monde humain : « La mort la [Thèbes] frappe dans les germes où se forment les fruits de son sol, la mort la frappe dans ses troupeaux de bœufs, dans ses femmes, qui n'enfantent plus la vie » (l. 23-26). C'est là l'image d'un monde détraqué, devenu stérile et chaotique, qui sera décrit également par le Chœur au moment de la *parodos*, avec les mêmes motifs (l. 176-191). À la vie, s'est substituée la mort, personnifiée par la peste.

● Pasolini représente la **peste** dans toute sa **violence visuelle** après une ellipse temporelle. On quitte l'atmosphère de liesse célébrant la mort du Sphinx

---

1. Péans : chants solennels à plusieurs voix entonnés en l'honneur d'un ou de plusieurs dieux.

l'arrivée d'un nouveau roi, son mariage avec la reine ; on quitte Œdipe et Jocaste au moment de leur première nuit de couple royal. C'est alors que le film rejoint la pièce. Par un cut brutal, à la nuit succède le jour dans une luminosité crue et violente et la caméra fait un gros plan sur un pestiféré mort. Ensuite, un plan de demi-ensemble élargit le cadre à la présence d'un bébé, qui pleure et réclame sa mère ; puis à des vautours dans le ciel et un autre cadavre ; et enfin, par une série de plans généraux accompagnés de panoramiques, la caméra découvre un à un les cadavres dont le sol est jonché. C'est certes la violence de la mort que filme Pasolini, mais aussi le bouleversement qui prive les enfants de leurs parents, qui ôte à la ville sa vie, puisque ensuite il nous montre les maisons vides, et des murs desquels peu à peu l'équivalent des péans du texte sophocléen va monter sans qu'on voie les femmes qui les chantent.

2 • Une malédiction divine, un remède humain ?

• **À qui** le peuple doit-il s'en remettre dans son malheur : aux dieux ou aux hommes ? Quelles sont les lois en jeu : celles des dieux ou celles des hommes ? **Qui** est à la source de ce malheur ? **Quel ordre** du monde se tient derrière ce désordre ? L'ambiguïté de ces questions est l'un des nœuds de la pièce.

• Au moment du prologue, le peuple ne sait pas encore ce qu'il en est. Pasolini rejoint très précisément la mise en scène sophocléenne lorsque, après le tableau de la peste, il fixe la caméra sur le roi, en haut des marches du palais. Œdipe, accoutré d'une immense couronne, est figuré dans toute la **pompe solennelle** du pouvoir royal (→ DOC. 5, cahier couleur, p. IV) . À ses pieds, comme dans la pièce, arrive un cortège de suppliants. **Pasolini prend** alors **le rôle du prêtre** et demande à son roi de sauver les Thébains du malheur. Mais, après la réponse de l'oracle, les choses s'éclaircissent : ce sont bien les dieux qui ont envoyé un **signe** aux hommes. Et c'est aux hommes de répondre à ce signe car ils sont souillés par le crime impuni.

• C'est la raison pour laquelle le deuxième tableau apocalyptique de la peste de Thèbes (l. 176-191) a une signification nouvelle. Les dieux ont parlé, ce qui explique que ce soit à eux – et non à Œdipe – que s'adressent d'abord les choreutes par une longue prière : « Que vas-tu exiger de nous ? » interroge le Chœur. Or, **c'est Œdipe qui va lui répondre**, pensant que son pouvoir d'homme pourra apporter un remède à ce mal divin. Ce qu'il ignore, c'est qu'il sera lui-même le remède comme **victime expiatoire de la malédiction**.

3 • Œdipe *en pharmakos*

● Lorsque l'action de la pièce aura révélé que la souillure s'incarne en la personne d'Œdipe, ce dernier demandera à investir le rôle de ***pharmakos***[1]. Le *pharmakos* était un homme et/ou une femme, qu'Athènes expulsait chaque année pour se débarrasser des souillures accumulées pendant cette même année. Ainsi voit-on Œdipe demander à être exclu de la cité, dans des termes pleins de violence pour lui-même : «*Ah ! emmenez-moi loin de ces lieux bien vite ! emmenez, mes amis, l'exécrable fléau, le maudit entre les maudits* [...]» (l. 1382-1383).

● Dans le film de Pasolini, la transformation d'Œdipe en *pharmakos* a lieu dans la dernière partie du film. Œdipe est devenu un **joueur de flûte**. Est-ce une référence au joueur de flûte de Hamelin[2] chargé de dératiser la cité, donc de la purifier ? Œdipe est-il devenu, puisqu'il est aveugle, un nouveau Tirésias, qui jouait lui aussi de la flûte dans la deuxième partie du film ? Œdipe errant dans la périphérie industrielle déserte de la ville se trouve-t-il dans ce no man's land parce qu'il est banni de la société ou parce qu'il est incompris par elle ?

● Si Œdipe représente Pasolini ou l'artiste en général, **incarne-t-il l'isolement de l'artiste** face au reste des hommes ? L'artiste supporte-t-il toutes les misères des hommes pour leur propre bien ? Le film laisse ouvert le champ de l'interprétation.

---

1. Pharmakos: celui qui sert de remède (d'où le mot *pharmacie*).
2. Héros du conte éponyme des frères Grimm (*Légendes allemandes*, 1816). Une légende du XIIIe siècle raconte que le maire de la ville de Hamelin, infestée par les rats,

demanda à un joueur de flûte, contre une prime de mille écus, de conduire par sa musique les rats hors de la ville. L'homme sortit sa flûte et les rats le suivirent jusqu'à la Weser où ils se noyèrent.

QUESTION 8

Les ressorts du tragique sont-ils les mêmes dans la pièce et dans le film ?

LE TRAGIQUE : UNE TENSION D'ORDRE MÉTAPHYSIQUE

1 • Du sentiment du pathétique à la réflexion tragique

• Parce qu'elle montre la souffrance et la mort, la tragédie suscite chez le spectateur la frayeur et la pitié qui relèvent du **pathétique**[1]. Ainsi, la vision d'Œdipe arrivant sur scène les yeux crevés émeut le spectateur, mais elle ne contient pas en elle-même ce qui fait l'essence de la tragédie.

• Un spectacle horrible ne fera que choquer le spectateur, si son aptitude à la **réflexion** n'est pas sollicitée par ailleurs. Ainsi, la mort de Jocaste et la mutilation d'Œdipe prennent tout leur sens lorsque les commentaires compatissants du Chœur les rattachent à l'ensemble de leur destin (l. 1246-1253).

2 • Le questionnement tragique : une vision de l'homme et de son destin

• Le tragique réside dans l'**enchaînement inéluctable** des événements sous l'emprise de la **fatalité**. Le spectateur, comme le Chœur, plaint le héros, mais il admire aussi sa force et son courage : le pathétique est ce qui rend son destin émouvant, mais le tragique est ce qui donne à sa mort ou à sa déchéance sa nécessité et sa grandeur.

• Le tragique est donc un **sentiment métaphysique** plus qu'affectif. Il provoque une interrogation sur la condition humaine : « Oh ! qu'as-tu fait ? Comment as-tu donc pu détruire tes prunelles ? Quel dieu poussa ton bras ? » (l. 1372-1373), demande le Chœur.

• Ainsi, la tragédie **transforme un héros légendaire en un être humain** qui souffre et affronte sa destinée. Elle est l'occasion pour les spectateurs de s'interroger sur le sens des mythes grecs et la représentation d'un conflit (l'*agôn*), nécessairement insoluble, qui interroge la condition humaine.

---

1. Pathétique : du mot grec *pathos,* qui signifie « souffrance ».

3 • Le chœur tragique, porte-parole du malheur

• Une différence signifiante entre la pièce et le film nous montre le caractère universel de ce questionnement fondamental qui, dans la pièce, est formulé dans la **parodos** : «*Ah ! je souffre des maux sans nombre. Tout mon peuple est en proie au fléau, et ma pensée ne possède pas d'arme qui nous permette une défense*» (l. 176-178). Cette parodos est **décalée** dans le film de Pasolini et transformée en cérémonie funèbre accompagnée de chants de deuil.

• Cette **cérémonie funèbre** est longue et **détaillée** : on y voit le village réuni dans un cortège portant des cadavres enveloppés dans des draps multicolores, des femmes en pleurs ; on entend des chants de pleureuses comme dans l'Antiquité. Les cadavres sont ensuite jetés au feu. Un lien, avec le même fond sonore, se fait ensuite avec un plan sur le palais et un Œdipe solennel, encadré par des gardes ; puis le plan s'élargit à tous les notables de la ville dans leur costume bleu. Ainsi, avant la tragédie d'un homme, c'est celle d'un peuple qui nous est montrée. La souffrance et le malheur sont le lot de la condition humaine, semblent nous dire Sophocle et Pasolini. Comment les affronter, faut-il lutter ou accepter ?

ARCHAÏSME ET MODERNITÉ D'ŒDIPE, HÉROS TRAGIQUE

1 • L'Œdipe antique, un jouet du destin, «ni tout à fait coupable, ni tout à fait innocent[1]»

• Dans la tragédie antique, le héros est un **être à part**. D'un côté, le chœur représente le monde humain, où l'homme est à peu près maître de ses actions tant qu'il respecte les règles de la collectivité et celles des dieux. De l'autre, le héros, lui, bien que semblant se battre avec les mêmes armes que n'importe quel humain, n'appartient pas au même monde. Il est frappé de **démesure**, et son vouloir, son agir, son savoir sont privés d'effets.

• Le **conflit tragique**, dans *Œdipe roi*, est la lutte d'un homme d'action qui va se révéler être le plus impuissant des hommes. Quand il tente d'expliquer au Chœur son geste d'automutilation, Œdipe multiplie les formules qui font de lui un pur **jouet du destin** : il emploie trois fois le terme «lot» (l. 1375, 1376, 1397), il se met en objet des verbes («où *m*'emportent mes pas ?», l. 1357). Montré dans un mélange

---

1. Formule empruntée à Racine dans la préface de *Phèdre*.

d'insoumission et de lucidité, Œdipe constitue bien la figure du héros tragique telle qu'Aristote la conçoit.

● Pour qu'il y ait «terreur et pitié», il faut que le héros tragique soit **ambigu**. Si un homme bon tombait dans le malheur, ou si un méchant passait du malheur au bonheur, dans les deux cas il y aurait indignation. Si un homme bon passait au bonheur, il y aurait réjouissance. Si un méchant tombait dans le bonheur, on ne le plaindrait pas. Œdipe doit être à la fois accablé par le destin mais aussi précipiter sa perte par son excès (*hubris*).

2 • L'Œdipe pasolinien, un héros tragique dans un monde sans dieux ?

● Le tragique grec ne peut se comprendre que dans un monde où la place du divin est fondamentale. Comment un auteur du XXe siècle peut-il **adapter le sentiment du tragique dans un monde où la religion a perdu sa place éminente** ? Si le questionnement sur le destin conserve sa pertinence, on ne peut plus faire intervenir les oracles et les devins. Qu'a vu Pasolini dans le destin tragique d'Œdipe, qui ait encore du sens au XXe siècle ?

● Une réplique d'Œdipe nous montre la complexité du problème : après l'ultime révélation du messager, l'Œdipe sophocléen dit : «Hélas ! hélas ! ainsi tout à la fin serait vrai ! Ah ! lumière du jour, que je te voie ici pour la dernière fois, puisqu'aujourd'hui, je me révèle le fils de qui je ne devais pas naître, l'époux de qui je ne devais pas l'être, le meurtrier de qui je ne devais pas tuer ! » (l. 1241-1245). L'Œdipe pasolinien dit seulement : «Maintenant tout est clair… *Voulu*, non pas *imposé*, par le destin. » Pasolini choisit d'atténuer l'action du destin en corrigeant «imposer» par «vouloir». Ainsi, même si le film ne renonce pas à la présence des dieux, il laisse la possibilité aux spectateurs de **penser le conflit tragique dans sa propre modernité** en faisant d'Œdipe un héros révolté.

3 • Œdipe, un héros révolté

● Il est frappant de voir l'**instinct de vie** dont l'Œdipe de Pasolini est doté. Il est habité par une rage qui lui donne la force d'aller consulter l'oracle, de combattre l'homme qui le défie sur son chemin, de tuer le Sphinx – rage accentuée par les cris violents de l'acteur.

● C'est pourquoi l'**Œdipe pasolinien** peut apparaître comme un **révolté** qui refuse ce que d'autres ont prévu pour lui. Lorsqu'on le voit courir sur le carrefour où il vient de rencontrer son père, avec son arme étrange à la main, on sent bien cette volonté féroce de lutter et de survivre (→ DOC. 2, cahier couleur, p. I). C'est une longue scène presque sans aucun dialogue, faite de regards, de cris, de courses et de combats. On voit la joie exaltée d'Œdipe qui rit de sa victoire. À la fin, il repart avec le casque de son ennemi, comme un trophée.

● Il semblerait que Pasolini **rejoue** là **l'histoire primitive de l'humanité** : la lutte pour la vie, la guerre, l'affrontement parental. Le mythe lui donne l'occasion de styliser ce qui compose notre humanité. Œdipe **a gagné le droit de vivre** et pourtant il va payer cher cette victoire. C'est là que le tragique devient absurde : en effet, dans un monde sans dieux, **que paye Œdipe** ? Pourquoi s'acharner sur lui ?

4 • Un tragique de l'absurde ou de la sagesse ?

● La dernière partie du film montre le parvis d'une cathédrale. Mais le temple est devenu un monument touristique, les dieux l'ont déserté. À quoi bon l'aveuglement d'Œdipe, si les passants sont indifférents à son sort ? Puis la cathédrale est remplacée par l'usine, qui semble désaffectée. Œdipe reprend sa flûte et joue un vieux chant révolutionnaire : pas de salut non plus de ce côté-là. **Que reste-t-il ? Où est le sens ?** La fin du film nous ramène dans la maison de l'enfance : la boucle est bouclée.

● Pasolini fait-il d'Œdipe une figure de révolté intemporel ? Ou bien le tragique mène-t-il à une forme de **sagesse** qui est l'acceptation de la condition humaine ? C'est ce que semblerait signifier la dernière réplique d'Œdipe dans le film : « Ô lumière que je ne voyais plus, qui avant était en quelque sorte mienne, maintenant tu m'éclaires pour la dernière fois. Je suis de retour. La vie finit où elle commence. » Ces paroles, que Pasolini emprunte en partie à Sophocle dans l'*Œdipe à Colone*[1], semblent orienter le sens du film vers une **forme d'apaisement** qui n'est pas sans rappeler l'acceptation de la mort dans les philosophies épicurienne ou stoïcienne de l'Antiquité.

---

1. « Lumière invisible à mes yeux, depuis longtemps pourtant tu étais mienne, et mon corps aujourd'hui éprouve ton contact pour la dernière fois. Je m'en vais de ce pas cacher dans les Enfers le dernier jour de vie. »

QUESTION 9

Comment lumière et obscurité sont-elles articulées dans la pièce et dans le film ?

LA DIALECTIQUE DE L'OMBRE ET DE LA LUMIÈRE CHEZ SOPHOCLE

1 • L'Œdipe sophocléen, figure de la lumière de l'intelligence

● Œdipe, parce qu'il a résolu l'énigme de la Sphinx, incarne la sagacité de l'intelligence humaine. Or, il est traditionnel de penser l'opposition ente savoir et ignorance par la **double métaphore de la lumière et de l'obscurité**.

● C'est pourquoi quand Œdipe apprend le contenu de l'oracle de Delphes de la bouche de Créon, c'est sous la métaphore de la lumière qu'il va décrire l'enquête qu'il a décidé de mener pour découvrir la vérité. Ainsi, il s'étonne de voir que Thèbes n'ait pas cherché le meurtrier de Laïos : « ŒDIPE. – Et quelle détresse pouvait donc bien vous empêcher, quand un trône venait de crouler, d'**éclaircir** un pareil mystère ? CRÉON. – La Sphinx aux chants perfides, la Sphinx, qui nous forçait à laisser là ce qui nous échappait, afin de **regarder** en face le péril placé **sous nos yeux** » (l. 135-140). La lumière symbolise la vérité ; ne pas faire la lumière, c'est mentir ou refuser de voir la vérité en face. Œdipe sera celui qui n'a pas peur de la lumière : « Eh bien ! je reprendrai l'affaire à son début et l'**éclaircirai**, moi » (l. 141-142). Toute la pièce consiste donc en une **mise en lumière de la vérité** par Œdipe.

2 • L'aveugle Tirésias et la lumière divine

● Or, de façon paradoxale et signifiante, cette élucidation va d'abord passer par un **aveugle**, Tirésias. Un homme qui ne voit pas mais qui pourtant possède « le **don de clairvoyance** », rappelle le Chœur (l. 277). La scène d'affrontement entre Œdipe et Tirésias repose sur l'**opposition entre voir et ne pas savoir et ne pas voir et savoir**. Œdipe est celui qui voit et qui croit savoir et par là même s'aveugle sur son sort ; Tirésias est celui qui physiquement ne voit pas, mais qui sait.

● « Toi qui **scrutes** tout, ô Tirésias » (l. 297) : c'est ainsi qu'Œdipe l'interpelle au début de la scène. La vision du devin est d'origine divine : son rapport à la lumière n'est pas sensoriel mais **symbolique**. La vérité et la lumière sont du côté des dieux et non des sens humains. C'est ce que ne comprend pas Œdipe lorsque, frustré par le refus de parler de Tirésias, il s'exclame : « Dans la fureur où je suis, je ne **cèlerai** rien de ce que j'**entrevois** » (l. 348-349). Pour lui, la lumière doit se manifester, coûte que coûte.

- La lumière devient donc un enjeu incontournable : **il faut tout éclaircir**. Dans la même réplique, Œdipe fait un jeu de mots sur les yeux que lui possède et que Tirésias n'a pas : « Sache donc qu'à **mes yeux** c'est toi qui as tramé le crime, c'est toi qui l'as commis – à cela près seulement que ton bras n'a pas frappé. Mais, **si tu avais des yeux**, je dirais que même cela, c'est toi, c'est toi seul qui l'as fait » (l. 349-352). Cette confiance – illusoire – dans les sens humains, Œdipe la réitère plus loin dans l'échange : « Non, pas chez un aveugle, dont **l'âme et les oreilles sont aussi fermées que les yeux !** » (l. 382-384) ; « Tu ne vis, toi, que de **ténèbres** : comment donc me pourrais-tu nuire, à moi, comme à quiconque voit la **clarté** du jour ? » (l. 388-390).

- Ainsi, la scène nous montre un renversement total. Au début Œdipe est capable de comprendre la **dimension symbolique de la lumière** : il n'est pas besoin de voir au sens physique pour avoir des lumières. Mais, au cours de l'affrontement, il en vient à négliger totalement cette dimension symbolique. Il s'accroche alors au **matérialisme des sens**. C'est pourquoi il dénie à l'aveugle Tirésias toute forme de connaissance : ténèbres et lumières ne sont plus que des manifestations physiques.

3 • L'aveuglement d'Œdipe : entrer dans l'ombre

- On assiste alors à un **ultime revirement** dans la dialectique de l'ombre et de la lumière, puisque c'est au moment où il découvre la vérité qu'Œdipe s'aveugle physiquement. Paradoxalement, sa découverte l'entraîne dans le monde obscur et solitaire de Tirésias. La connaissance n'est donc pas dans la lumière, mais dans les ténèbres.

- « *Ah ! nuage de ténèbres ! nuage abominable, qui t'étends sur moi, immense, irrésistible, écrasant !* » (l. 1362-1363) s'écrie Œdipe, les yeux ensanglantés. Il est donc **l'homme qui a trop vu**. La connaissance que les dieux finissent par lui accorder est une lumière trop vive pour qu'il puisse la supporter. En rejoignant la nuit, Œdipe accède à une forme de savoir inaccessible au simple mortel.

- Mais il invoque une autre raison à cet aveuglement volontaire : voir, c'est aussi **regarder l'autre dans les yeux** et accepter son jugement sans avoir honte de ce qu'on est. C'est pourquoi Œdipe explique qu'il aurait été trop dur pour lui de se suicider et de rencontrer dans les Enfers le regard de ses parents, ou bien de rester n vie et d'affronter le regard de ses enfants. Il ne veut plus voir le monde dans lequel il a vécu, mais il ne veut pas non plus être vu par ce monde tellement il a honte : « Vite, au nom des dieux, vite, cachez-moi quelque part, loin d'ici ; tuez-moi, ou jetez-moi à la mer, en un lieu où vous ne me voyiez jamais plus » (l. 1438-1440).

LA DIALECTIQUE DE L'OMBRE ET DE LA LUMIÈRE CHEZ PASOLINI

1 • Les effets de lumière dans le film

● Pasolini reprend les mêmes valeurs symboliques que celles de Sophocle mais il les traduit par les **outils visuels du film**. Ainsi, dans la séquence de la prophétie de la Pythie et dans celle du meurtre de Laïos, la **lumière** est **aveuglante**. Comme chez Sophocle, au lieu d'éclairer, la lumière aveugle : Œdipe croit savoir, il n'est qu'aveuglé, hors du champ du savoir.

● Un **geste symbolique** souligne ce paradoxe : **Œdipe se cache les yeux**. Ébloui par la Pythie, quand il quitte le sanctuaire de Delphes, il porte la main à ses yeux. Lors de son errance, à chaque carrefour de routes, il se cache à nouveau les yeux, tourne sur lui-même pour laisser le hasard choisir pour lui.

● Enfin, on a les mêmes effets d'aveuglement par la lumière dans l'**altercation avec Laïos**. D'abord on voit Œdipe s'avancer en se faisant de l'ombre avec une branche car il a enlevé son chapeau à larges bords (→ DOC. 1, cahier couleur, p. I). Puis quatre des cinq meurtres d'Œdipe sont soulignés par des effets de soleil éclatant qui envahissent le cadre, en surexposition, aveuglant le spectateur. Tout se passe comme si Pasolini rappelait que ces meurtres sont commis dans l'inconscience, puisque Œdipe ignore quels types de crimes il est en train de commettre.

2 • L'alternance du jour et de la nuit dans les scènes de l'enfance : une dynamique onirique et psychanalytique

● Pasolini joue sur l'alternance du jour et de la nuit. Une séquence est particulièrement signifiante au début du film. La scène qui suit la naissance de l'enfant est baignée par un soleil radieux et un ciel d'un bleu limpide. Les plans relèvent de la **focalisation interne au bébé** : on voit le monde à son échelle et de son point de vue. Il est allongé sur le sol et on distingue avec lui des chaussures de femme, des bas de robe flottants, un chapeau blanc, une main qui cueille une fleur et cinq femmes qui s'éloignent de lui en courant. Les couleurs tendres et lumineuses dominent : le vert du pré, le blanc du chapeau, le rose et bleu de la nappe, la mousseline rose et blanche de la robe d'une femme jouant avec une fleur jaune. Cette technique de point de vue interne est reprise après la **scène de l'allaitement**.

● Ces scènes lumineuses du début ont aussi pour effet, par leur cadrage fragmenté, de restituer des images oniriques, peu précises, comme si l'adulte avait en lui, stockées au fond de sa mémoire, des images de sa plus tendre enfance. Cette luminosité initiale est donc un peu trompeuse : elle ne correspond pas au savoir conscient, rationnel ; elle semble être la **reconstruction d'un paradis perdu**.

● À ces scènes s'oppose celle de **la nuit où l'enfant est laissé seul** par ses parents et se réveille alors qu'ils sont dans la maison d'en face en train de danser. Apeuré, terrorisé en plus par le bruit du tonnerre, il appelle sa mère. Enfin, lors de cette même nuit, l'enfant assiste – plus ou moins – de son berceau aux ébats de ses parents.

● Comment comprendre cette alternance du jour et de la nuit au début du film ? Le **jour** semble être le moment où la **joie**, la fusion avec la **mère** règnent. La **nuit**, en revanche, est le moment où l'enfant entre en rivalité avec son **père**, où il est laissé seul avec ses **peurs**. Pasolini fait d'ailleurs un raccord avec ce motif initial quand Œdipe, dans la deuxième partie du film, explique à ses parents adoptifs qu'il a fait un mauvais rêve : « Je me suis éveillé en pleurs en tremblant, avec la peur de l'obscurité, comme quand j'étais enfant. »

QUESTION 10

En quoi Œdipe est-il un personnage « à contretemps » ?

ŒDIPE, FIGURE DU DÉTOURNEMENT

1 • Une dynastie problématique

• Le mythe d'Œdipe révèle un **processus dynastique sans cesse contrecarré**. C'est la thèse de Jean-Pierre Vernant dans son article « Œdipe à contretemps ». Rien, dans les premiers temps de l'histoire de Thèbes, n'obéit à une transmission sereine du pouvoir politique. Soit le roi meurt trop vite, soit il est contesté et renversé : « Temps de violence, de désordre, d'usurpation, où le trône, au lieu de se transmettre de père en fils par une succession régulière et assurée, saute de main en main à travers luttes et rivalités [...][1]. »

• Marqué par ce lourd héritage, Œdipe, à son tour, ne parviendra au pouvoir que par un **détour très complexe et complètement paradoxal**, voire absurde : alors qu'il était l'héritier légitime du trône de Thèbes, il accède au pouvoir en tuant le roi en place qui, de surcroît, est son propre père.

2 • Œdipe, ou l'accès détourné à soi

• La pièce nous montre le **détour considérable** que devra effectuer Œdipe pour découvrir sa véritable identité. Il se croit fils du roi et de la reine de Corinthe, certitude qui subit un premier assaut quand un Corinthien l'accuse d'être un enfant trouvé. Alors, pour la première fois, Œdipe refuse d'entendre, il commence à tricher avec les signes de vérité qu'on lui envoie. Il devra d'abord **admettre qu'il n'est pas celui qu'il croyait être** pour ensuite chercher qui il est.

• De même, quand Tirésias lui fait comprendre qu'il vit dans l'inceste, Œdipe, au lieu de chercher à comprendre, va chercher l'explication dans une contre-vérité : selon lui, c'est Créon qui serait à l'origine de ces tissus de mensonges. Puis, lorsqu'il finit par comprendre qu'il n'est pas le fils des souverains de Corinthe, Œdipe va encore chercher un ultime détour – il est le fils de la Fortune – avant d'accéder à l'**équilibre simple d'être soi**.

---

1. Jean-Pierre Vernant, « Œdipe à contretemps », dans *L'Univers, les dieux, les hommes*, Éditions du Seuil, 1999.

• Or, à la fin de la pièce, Œdipe demande à **retourner au Cithéron** : « Laisse-moi bien plutôt habiter les montagnes, ce Cithéron qu'on dit mon lot. » (l. 1484-1485). La vie d'Œdipe ne s'est accomplie qu'à travers un parcours ponctué de détours.

3 • Quand tout va de travers

Un autre motif accompagne celui du détournement et vient le renforcer : le **motif de l'inversion**, qui conduit à ce que rien n'aille dans le bon sens. Laïos et Jocaste n'auraient pas dû avoir d'enfant, mais ils en ont eu un ; Polybe et Mérope ne pouvaient pas en avoir et en ont pourtant eu un ; le serviteur aurait dû tuer l'enfant mais il ne l'a pas fait. De ces actes inversés, la **peste** du début de la pièce est une manifestation violente. Cette inversion de la vie « normale » prend toute sa force dans la question de l'inceste et du parricide.

4 • Le parricide et l'inceste ou l'impossibilité d'être soi

• Œdipe commet deux actes qui vont à **contresens du processus biologique de la vie** : il tue son père et épouse sa mère. Après que l'horreur de ces crimes a été révélée au grand jour, Sophocle multiplie les formulations qui mettent en avant l'inversion de l'ordre naturel des choses, par un processus de **confusion entre le même et l'autre** :

– d'abord dans la bouche des choreutes : « *Ainsi la chambre nuptiale a vu le fils après le père entrer au **même** port terrible !* » (l. 1265-1266) ;

– puis dans celle du messager qui décrit le suicide de Jocaste : « Elle gémit sur la couche où, misérable, elle enfanta **un époux de son époux et des enfants de ses enfants** ! » (l. 1301-1303) ;

– enfin dans celle d'Œdipe qui formule explicitement l'horreur de sa vie : « Hymen, hymen à qui je dois le jour, qui, après m'avoir enfanté, as une fois de plus fait lever la **même** semence et qui, de la sorte, as montré au monde des pères, frères, enfants, tous de **même** sang ! des épousées **à la fois** femmes et mères – les pires hontes des mortels... » (l. 1432-1436).

• En ce qui concerne l'inceste et le parricide, J.-P. Vernant explique que l'homme, contrairement à l'animal, a trois statuts différents dont il a conscience : l'enfance, l'âge adulte et la vieillesse. Il reste cependant le **même** à travers ces trois statuts. Or, Œdipe, qui n'aurait pas dû naître, ne va pas faire les choses dans le bon ordre. Interdit de séjour dans son palais natal pendant l'enfance, il va s'y installer à l'âge adulte : au lieu de succéder à son père à la mort de celui-ci, au lieu de prendre une épouse de sa génération, il s'identifie à son père en prenant sa place sur son trône et dans le lit de sa mère. À un processus de succession, Œdipe substitue un processus d'identification et de superposition. Au lieu de devenir un être singulier, **il devient son propre père**. «Comment ne pas voir que l'énigme proposée par la Sphinge disait le destin des Labdacides[1]?», écrit J.-P. Vernant. Œdipe est à la fois un enfant, un adulte et un vieillard, **il est le monstre dont parlait la Sphinx**.

ŒDIPE, FIGURE DU DESTIN CONTRARIÉ

1 • Œdipe au carrefour du destin

● Ce qui fait également d'Œdipe un personnage «à contretemps», c'est son rapport au destin, figuré, dans la pièce comme dans le film, par l'**image du chemin**. La vie de l'homme ressemble à un parcours : pour l'homme, la linéarité de la route correspond à la linéarité du temps qui passe, mais pas pour Œdipe. C'est ce que représente l'épisode du **carrefour en y** où il rencontre son père. Ce carrefour aux trois routes le met sur le chemin de son père **en sens inverse** puisque Laïos se rend à Delphes venant de Thèbes, tandis qu'Œdipe quitte Delphes avec un seul but : fuir Corinthe.

● On comprend que **le chemin est une métaphore du choix**. Choisir sa route, c'est donner une inflexion à son existence – «être à la croisée des chemins», dit-on communément. Œdipe croit faire un choix en fuyant Corinthe. Mais ce qui lui manque précisément, c'est une destination. Son choix est négatif : tout sauf Corinthe. À la fin de la pièce il revient sur ce carrefour, symbole de son malheur : «Ô double chemin ! val caché ! bois de chênes ! ô étroit carrefour où se joignent deux routes !» (l. 1427-1429).

● Pasolini a très bien traduit le **faux choix d'Œdipe** par la séquence de son **errance**. Quand le héros cherche son chemin sur les territoires désertiques où il avance au hasard, il tombe par trois fois sur un **carrefour avec la borne** «TEBE». Et par trois fois, il laisse le sort agir pour lui puisqu'il se cache les yeux, tourne sur lui-même, puis, à l'arrêt, prend la direction indiquée par ce jeu de hasard. Bien entendu, cette direction est à chaque fois celle de Thèbes. Ainsi, Pasolini a prolongé la métaphore du chemin et l'a approfondie pour accentuer le caractère de machine infernale qui accable Œdipe.

---

1. Jean-Pierre Vernant, « Œdipe à contretemps », *op. cit.*

2 • Le haut et le bas

● Le dernier élément qui fait d'Œdipe une figure « à contretemps », c'est qu'il incarne au plus haut point les **lignes opposées** qui peuvent affecter le destin de l'homme : celle de **l'ascension et** celle de **la chute**.

● Toute la première partie de la vie d'Œdipe est celle d'une ascension : celle d'un enfant trouvé, dont la mort était programmée, qui se retrouve d'abord prince chéri d'un couple royal, puis déchiffreur d'énigme et sauveur de cité, pour enfin devenir roi, époux et père comblé. Œdipe en a parfaitement conscience quand il se croit fils de la Fortune : « C'est Fortune qui fut ma mère, et les années qui ont accompagné ma vie m'ont fait tour à tour **et petit et grand** » (l. 1132-1133).

● Puis, à partir de la peste de Thèbes, on assiste à la chute progressive d'Œdipe, ce qui correspond exactement à la temporalité de la pièce de Sophocle. Si l'on est monté très haut, **plus dure sera la chute**. Voilà encore une sentence populaire que le mythe d'Œdipe semble concrétiser.

● Cette **verticalité orgueilleuse** est concrétisée dans le film par la couronne vertigineuse qui ceint la tête du héros devant son palais (→ DOC. 5, cahier couleur, p. IV). C'est l'*hubris* que Pasolini semble traduire par ce détail de costume. La démesure d'Œdipe fait de lui un personnage « à contretemps », dans le sens où il n'a pas eu la lucidité nécessaire pour mesurer sagement ce qui lui arrivait : remettre en question ce bonheur total qui lui tombait dessus, s'en méfier.

● On est là dans une signification morale qui annonce celle des **vanités**[1] : le bonheur terrestre ne tient qu'à un fil. La vie d'Œdipe est bien celle d'un renversement total et radical, comme le constate le Chœur : « Le voilà, cet Œdipe, cet expert en énigmes fameuses, qui était devenu le **premier des humains**. Personne dans sa ville ne pouvait contempler son destin sans envie. Aujourd'hui, dans quel flot d'effrayante misère est-il **précipité** ! » (l. 1572-1575).

---

1. Vanités : peintures, en vogue à partir du XVIᵉ siècle, dont le sujet est inspiré par la mort. Représentée sous forme de squelette ou de crâne, la mort s'oppose aux symboles de la grandeur, des honneurs, des plaisirs qui caractérisent la vie humaine

QUESTION 11

Quel rôle Sophocle donne-t-il au Chœur dans *Œdipe roi* ?

UN PERSONNAGE COLLECTIF

1 • Qui sont les choreutes ?

• Une tragédie grecque comporte un chœur composé de **quinze choreutes** formant un groupe de personnages **anonymes et homogènes**. Dans *Œdipe roi*, ce sont des Vieillards, citoyens thébains.

• Le chœur, sur scène, est «**spectaculaire**». Les choreutes évoluent, chantent et dansent sur une zone circulaire qui leur est propre, l'*orchestra*. Le chœur est donc **séparé des héros**.

2 • La parole du chœur : le jeu des voix

• C'est au chœur que revient l'essentiel des **parties chantées** de la tragédie :

– soit il se lamente seul sur le sort des héros ou sur la difficulté de l'existence, au cours des *stasima*, moments de la tragédie où l'action se fige (l. 499-518) ;

– soit il engage avec le héros un chant dialogué dans les *kommoi*, lamentations partagées avec un protagoniste : on en a un exemple à l'*exodos* d'*Œdipe roi* (l. 719-723).

• Le chœur peut parler d'une seule et même voix. Mais il peut aussi parler par la voix du **coryphée** (chef du chœur). Ce **jeu des voix** dynamise le spectacle.

LA FONCTION DRAMATIQUE DU CHŒUR : UN CONSEILLER IMPUISSANT

1 • Un personnage proche du protagoniste

• Le chœur est lié à l'un des héros tragiques, souvent au protagoniste[1] lui-même. Les Vieillards thébains sont les concitoyens d'Œdipe. Ils vont même globalement **adhérer aux prises de position** d'Œdipe tout au long de son enquête, ou du moins ils vont douter avec lui.

– Au cours du premier *stasimon*, ils reconnaissent être troublés par l'attitude de Tirésias mais s'accrochent aux faits d'armes d'Œdipe (l. 499-518).

– Dans le conflit avec Créon, le Chœur reproche à Œdipe son emportement, mais lui réaffirme sa confiance (l. 719-723).

1. Protagoniste : premier acteur.

• Ainsi, globalement, tout au long de la pièce, le Chœur essaiera de rester du côté d'Œdipe, de ne jamais le juger sans preuve.

2 • Un conseiller et un juge impuissants

• Le Chœur peut donc avoir un rôle de **conseiller**. Ainsi il recommande à Œdipe d'aller consulter Tirésias. Puis, lorsque l'enquête avance mais que tout n'est pas dévoilé, le Chœur l'engage à rester rationnel et à garder espoir (l. 861-862). Ce sont là des conseils de bon sens et de prudence. Il plaide aussi pour la mesure en demandant à Œdipe de ne pas condamner à mort son propre beau-frère sur un simple soupçon.

• Mais les conseils et jugements du Chœur ne sont que peu suivis d'effets. Certes, Œdipe consent à exiler Créon, mais ensuite le Chœur n'a **aucune prise sur l'action**. Chacun des *stasima* voit le Chœur **se lamenter** et non agir sur la situation.

UN SPECTATEUR « IDÉAL »

1 • Un représentant du public

Cette impuissance est due au fait que, comme le spectateur, le Chœur fait partie du **commun des mortels**. Souvent perdu face aux événements qui se déroulent sous ses yeux, il demande des informations aux messagers. Il est choqué par les réactions excessives des héros, horrifié par leur fin tragique.

2 • Un spectateur sensible et exemplaire

• Le Chœur est le **spectateur idéal** car il est immédiatement **sensible** aux effets de la tragédie. Il réagit physiquement aux moments les plus pathétiques de l'action et communique ainsi ses émotions au spectateur. Trois exemples :
– d'abord, au moment de l'*hyporchème*[1] (l. 1136-1149), son **espoir joyeux** de croire qu'Œdipe est un fils de la Fortune ;
– ensuite, son profond **désarroi** existentiel au cours du troisième *stasimon* (l. 1246-1276) ;
– enfin, sa réaction d'horreur et de **dégoût** face à l'automutilation du héros (l. 1349-1356).

• Le chœur est aussi un **exemple de vertu religieuse et civique** par son respect des dieux et des lois de la cité. On le sent bien au cours du deuxième *stasimon*, où il affirme sa volonté de rester pur, pieux, respectueux des lois et où il condamne fermement la démesure (l. 890-916).

---

1. Hyporchème : partie dansée et chantée, d'humeur joyeuse, qui sépare le troisième épisode en deux.

QUESTION 12

En quoi la structure de la pièce est-elle signifiante ?

LES MOTS ET LES MOMENTS CLÉS DE LA STRUCTURE TRAGIQUE

Les tragédies grecques ne sont pas divisées en actes, mais en **épisodes** séparés par les interventions chantées du chœur. Un **prologue**, servant d'exposition, précède la *parodos*, entrée du chœur dans l'*orchestra*. Suivent trois ou quatre épisodes dialogués, séparés à chaque fois par un *stasimon* chanté par le chœur (passages en italique dans les éditions modernes). Un épisode est ce qui correspond le plus à un acte : il est composé de plusieurs scènes. La fin de la pièce, ou *exodos*, évoque le sort des personnages, avant que le chœur ne quitte l'*orchestra*.

UNE STRUCTURE SIGNIFIANTE : LA PROGRESSION INÉLUCTABLE VERS LA VÉRITÉ

1 • Le prologue (l. 1-158) et la *parodos* (l. 159-212) : le déclenchement de la crise tragique

Sophocle utilise le prologue et à des fins d'**exposition** et pour cerner le **début de la crise tragique**. Avec le groupe du prêtre et des enfants venus solliciter l'aide de leur roi à cause de la peste, Sophocle met en valeur ce signe des dieux venus dire à Œdipe qu'il est temps pour lui de connaître la vérité et de payer pour ses crimes. La *parodos* redouble sur ce point le prologue, en exploitant les mêmes thèmes.

2 • Le premier épisode (l. 213-483) et le premier *stasimon* (l. 484-518) : le début de l'enquête, les révélations inaudibles

Dans cette première phase de l'enquête, Œdipe incarne encore l'**homme providentiel**, sauveur de la cité, et l'**homme rationnel**, sûr de lui et de ce qu'il est. Il proclame l'édit qui condamnera le coupable. Puis il refuse de comprendre la vérité que Tirésias lui révèle, préférant se réfugier dans la thèse d'un complot politique.

3 • Le deuxième épisode (l. 519-889) et le deuxième *stasimon* (l. 890-925) : le conflit politique et les premiers doutes

• Ce deuxième moment de l'action marque à la fois le **sommet de l'orgueil d'Œdipe** et le moment où **son assurance va basculer**. C'est un moment éminemment politique, avec la lutte entre Créon et Œdipe.

12

• Puis le duo entre Jocaste et Œdipe amène une seconde série de révélations rétroactives qui font vaciller les certitudes d'Œdipe : « Ah ! comme à t'entendre, je sens soudain, ô femme, mon âme qui s'égare, ma raison qui chancelle ! » (l. 753-754). À partir de cette réplique, Œdipe, jusqu'ici enquêteur extérieur, devient **celui qui se cherche lui-même**.

• Mais, à ce stade de la pièce, tout semble encore possible pour le héros : ce carrefour, cet équipage, cet homme ne sont peut-être pas ceux de son histoire. La similitude des faits n'est peut-être qu'une ressemblance fortuite.

4 • Le troisième épisode (l. 926-1245) et le troisième *stasimon* (l. 1246-1276) : le défilé des témoins, le recoupement tragique des faits

Un à un les espoirs d'Œdipe vont s'écrouler. L'intrigue est dense : Sophocle multiplie **péripéties** (arrivée de deux personnages) et **reconnaissances** (révélations fondamentales) :

– d'abord l'**arrivée du Corinthien** qui apporte la nouvelle, positive, de la mort de Polybe. Elle semble confirmer que l'oracle a menti : Œdipe n'a pas pu tuer son père puisque celui-ci est mort ;

– puis le Corinthien ajoute une **information qui va noircir la situation** : le roi et la reine de Corinthe ne sont pas ses vrais parents ;

– c'est alors que Jocaste comprend la vérité tandis qu'Œdipe se croit le fils de la Fortune. Il faudra une **ultime révélation**, celle du **berger de Laïos**, pour que tout devienne clair.

5 • L'*exodos* (l. 1277-fin) : un dénouement éminemment tragique

• La fin de la pièce montre les conséquences extrêmement malheureuses de cette intrigue tragique qui ne peut se dénouer que par le châtiment des coupables : Jocaste se suicide et Œdipe, après s'être crevé les yeux, demande à Créon de lui infliger la sentence qu'il avait lui-même édictée au début de la pièce.

• L'exil fait de lui un *pharmakos*, une souillure que l'on éloigne de la cité pour la purifier des maux qui l'accablaient.

QUESTION 13

Quelles sont les spécificités et les significations de la structure du film ?

UNE COMPOSITION HYBRIDE ET ORIGINALE

1 • Une libre adaptation de Sophocle

● Adaptant deux pièces de Sophocle[1] et une matière mythologique, le film est une œuvre hybride mais cohérente. Mélangeant les temporalités, celle de son temps et celle d'une Antiquité mythologique, mélangeant les espaces, ceux d'une Grèce antique réinterprétée et de l'Italie provinciale et urbaine du XXe siècle, Pasolini crée une **œuvre symphonique** qui tente d'**articuler le temps présent, le temps antique et le temps mythique**.

● Pour ce faire, le cinéaste compose une œuvre en **quatre « mouvements[2] »** avec pour fil directeur la vie d'un personnage issu à la fois de l'Œdipe mythologique, de l'Œdipe sophocléen et de Pasolini lui-même.

2 • Les quatre « mouvements » du film

● Le **prologue** expose les souvenirs d'enfance du protagoniste. Il se situe dans les années vingt dans une cité d'Italie et permet à Pasolini d'interroger sa propre enfance et de donner au mythe d'Œdipe une dimension autobiographique.

● Le **deuxième mouvement** revisite le mythe d'Œdipe avant la crise tragique, depuis son abandon par ses parents jusqu'à son accession au trône de Thèbes, scènes et dialogues quasi inédits, puisqu'aucune tragédie ancienne sur cette partie du mythe n'est parvenue jusqu'à nous.

● Le **troisième mouvement** correspond à la pièce de Sophocle *stricto sensu*. Pasolini se montre assez fidèle à la pièce, jusqu'à en reprendre une grande partie des dialogues.

● Le **quatrième mouvement** forme un épilogue **qui rejoint le temps de la réalisation**, dans les années soixante, en Italie. Pasolini y revisite des épisodes d'*Œdipe à*

---

1. *Œdipe roi* et *Œdipe à Colone*.
2. C'est Pasolini lui-même qui utilise le terme de « mouvements » pour parler de la structure de son œuvre.

Colone, de Sophocle. Œdipe aveugle est guidé, non par sa fille, mais par un jeune homme, Angelo[1] (→ illustration en 3ᵉ de couverture).

LE TRAVAIL D'HARMONISATION ET DE COHÉRENCE

1 • Les transitions

Pasolini soigne particulièrement les transitions entre les quatre parties du film.

– À la **fin du prologue**, le lien est fait entre les mains du père tenant les pieds de l'enfant et le serviteur de Laïos portant l'enfant, suspendu à un bâton par les poignets et les chevilles. Les pensées refoulées du père moderne semblent concrétisées dans l'espace mythique.

– Une ellipse lourde de sens relie les **deuxième et troisième mouvements**. Œdipe et Jocaste consomment leur nuit de noce et se rendent donc coupables d'une grande faute.

– Les conséquences de leur faute se font jour, des années plus tard, quand commence le **troisième mouvement** : la peste en est la preuve visible.

– Enfin, la **transition entre le troisième mouvement et l'épilogue** se fait par la marche d'Œdipe tenu par la main par le messager, qui devient Angelo dans la séquence finale.

2 • Les thèmes musicaux

• Deux thèmes musicaux participent à la continuité entre les quatre parties du film. Le **thème du destin**, à base de flûte et de tambour, fait le lien entre la première et la deuxième partie du film. Il accompagne l'intrigue à chaque élément clé du destin fatal d'Œdipe : à la fin du prologue, lorsque le père va se pencher sur le berceau de l'enfant ; puis lors de l'errance désespérée d'Œdipe, lorsqu'à chaque carrefour il tourne sur lui-même pour choisir une direction. On l'entend à nouveau après le meurtre de son père et lorsqu'il rencontre sa mère pour la première fois.

• Le **deuxième thème**, moins présent mais très signifiant, est celui **de la mère**. Il apparaît dans le prologue, lors de la scène de l'allaitement, et réapparaît lorsque Jocaste fait le récit de son passé.

---

1. Le mot grec *agghelos* signifie « envoyé, messager ». Il a donné *angelus* en latin, puis *ange* en français.

QUESTION 14

Comment fonctionne l'ironie tragique dans *Œdipe roi* ?

L'IRONIE TRAGIQUE, INSTRUMENT DU PLAISIR DRAMATIQUE

1 • Un jeu sur la double énonciation

• Au théâtre, les paroles prononcées par les personnages ont un **double destinataire** : elles s'adressent aux personnages présents sur scène, mais aussi au public qui, en assistant à tous les échanges, en sait toujours plus que les personnages eux-mêmes.

• De plus, dans un spectacle tragique, le public connaît le contenu narratif des mythes mis en scène. Autrement dit, **il connaît la fin de l'histoire**. L'ironie tragique est précisément fondée sur un **écart** entre ce que sait le héros et ce que sait le spectateur.

• Elle a donc **deux fonctions** : servir le pathétique du spectacle tragique et servir le sens du tragique, en illustrant la faiblesse de l'homme face à la complexité du destin.

2 • Le plaisir d'un faux suspense

• Dans *Œdipe roi*, Sophocle parvient à créer un **faux suspense** centré sur les personnages d'Œdipe et de Jocaste. La question n'est pas : « Que vont-ils apprendre sur eux-mêmes ? » mais : « Comment vont-ils l'apprendre et à quel moment ? »

• Sophocle exploite ce **processus de dévoilement** en distillant toutes les formes de l'ironie tragique. Au début de la pièce, Œdipe est dans l'ignorance et chacun de ses mots est un **piège pour lui-même**. Avec Tirésias, il est mis face à une partie de la vérité mais, pris dans le délire du complot politique, il est incapable de l'entendre. **Avec Jocaste**, il touche du doigt la vérité (l. 786-889), mais il a encore un doute. **Après la venue du Corinthien**, Œdipe et Jocaste se croient sauvés (l. 938-997). Enfin, **quand Jocaste a compris** qui est Œdipe, celui-ci se fourvoie dans une ultime erreur en échafaudant l'hypothèse du « fils de la Fortune », l. 1127-1135).

SAVOIR ET IGNORER

1 • Ignorer ce que l'autre sait

• Une première forme d'ironie tragique consiste à mettre en scène un échange entre deux personnages inégalement informés des données de l'action. Le plus informé tient à l'autre un discours de **formules à double sens**, perçues par le spectateur.

• Dans *Œdipe roi*, cette mise en scène n'a pas pour intention de nuire, tout au contraire. C'est Tirésias qui sait, tandis qu'Œdipe est dans l'ignorance. Fort de ce qu'il sait, Tirésias veut donc épargner à Œdipe une cruelle vérité et refuse de lui parler. Œdipe ne comprend pas les allusions du devin et s'énerve au point d'user de la force de son autorité pour le faire parler.

2 • Ignorer ce que l'on fait

• L'ironie tragique est surtout la conséquence de la situation. Le héros est dupé par les dieux et **agit dans un sens dont il ignore qu'il est néfaste** pour lui et pour ses proches.

• En décidant, en tant que roi de Thèbes, de proclamer un édit solennel ordonnant de punir le meurtrier de Laïos, Œdipe se condamne lui-même. Au moment où il croit agir pour sa sauvegarde, **il s'enfonce dans son propre malheur** : « Je me charge de la cause à la fois de Thèbes et du dieu. Et ce n'est pas pour des amis lointains, c'est pour moi que j'entends chasser d'ici cette souillure. Quel que soit l'assassin, il peut vouloir un jour me frapper d'un coup tout pareil. Lorsque je défends Laïos, c'est moi-même aussi que je sers » (l. 144-149).

3 • Ignorer ce que l'on dit

• Au théâtre, l'ironie tragique la plus éclatante passe par **les mots**. Elle intervient quand le héros ignore la portée de ce qu'il dit. Soit il énonce, sans le vouloir, une **contre-vérité** : « Je parle ici en homme étranger au rapport qu'il vient d'entendre, étranger au crime lui-même » (l. 216-217). Soit il énonce **une vérité qui ne concerne personne d'autre que lui-même** : « et, *si* d'aventure je venais à l'admettre consciemment à mon foyer, je me voue moi-même à tous les châtiments que mes imprécations viennent à l'instant d'appeler sur d'autres » (l. 243-246). Hypothèse invalidée par l'ironie tragique : pour le spectateur, il n'y a pas de « si » ; Œdipe a admis le criminel dans son foyer, puisqu'il est lui-même le criminel.

• Le héros prononce alors des paroles graves qui lui sont en fait destinées : « Quel que soit le coupable, j'interdis à tous, dans ce pays où j'ai le trône et le pouvoir, qu'on le reçoive, qu'on lui accorde la moindre goutte d'eau lustrale » (l. 233-237). Il se trouve **pris à ses propres mots** dont il redoute qu'ils se retournent contre lui : « Je crains pour moi, ô femme, je crains d'avoir trop parlé » (l. 802-803).

QUESTION 15

Quelles sont les significations de la scène entre Œdipe et Tirésias, dans la pièce et dans le film ?

UNE LUTTE DE POUVOIR

1 • Le silence mystérieux de Tirésias

● Pourquoi **Tirésias**, s'il savait tout, comme il l'affirme au début de la scène (l. 313-315), n'a-t-il rien dit ? Pourquoi a-t-il oublié la vérité, pourquoi se lamente-t-il d'être venu ?

● Dans la tragédie, **le vent de la justice des dieux passe** tôt ou tard. Les dieux laissent les hommes agir à leur guise un temps. Or, les Thébains n'ont pas été très zélés, qui n'ont pas poussé l'enquête sur le meurtre de Laïos. Ils se sont laissé vivre dans une **vue à courte durée**. Le devin, lui, est aux ordres des dieux. S'il n'a rien dit, c'est sans doute parce que sa clairvoyance est commanditée par eux. C'est donc contraint par Œdipe qu'il va sortir de son silence.

2 • Le politique contre le religieux

● Deux pouvoirs s'opposent dans cette scène : **le pouvoir spirituel et religieux, et le pouvoir terrestre et politique.** Qui va l'emporter ? Pasolini travaille visuelle-ment la question par une mise en scène symbolique. En arrivant, le devin tombe et s'installe par terre alors qu'Œdipe, lui, se dresse fièrement sur les marches de son palais.

● Symboliquement, **le religieux est à terre**, dominé, tandis que **le politique est en hauteur**, dominant. Mais la scène va révéler la faillite du politique face au reli-gieux, comme le montre la réplique de Tirésias à Œdipe, qui l'accuse d'avoir fomenté l'assassinat de Laïos (l. 424-428).

3 • Savoir divin, savoir humain

● On assiste donc à une confrontation où le devin résiste à son rôle de devin et où Œdipe, dans sa volonté de savoir, tombe dans la démesure. Une **dialectique de la clairvoyance et de l'aveuglement** se met en place : «Tu ne vis, toi, que de **ténèbres** : comment donc me pourrais-tu nuire, à moi, comme à quiconque voit la **clarté du jour** ? » (l. 388-390).

• D'un côté, **Œdipe**, qui se croit supérieur au devin, tombe dans l'**aveuglement** : « Ce n'était pourtant pas le premier venu qui pouvait résoudre l'énigme : il fallait là l'art d'un devin » (l. 407-409). De l'autre, le devin, physiquement **aveugle**, sait la vérité : « Tu me reproches d'être aveugle ; mais toi, toi qui y **vois**, comment ne **vois**-tu pas à quel point de misère tu te trouves à cette heure ? » (l. 429-431).

LA CULPABILITÉ D'ŒDIPE

1 • Une scène de vaines révélations

• La scène entre Œdipe et Tirésias est pleine de **rebondissements** qui font passer le héros du respect à la colère et le devin du silence aux révélations.

• Or Œdipe s'avère incapable d'admettre ces révélations. Quand Tirésias complète sa première révélation (l. 356) par une seconde d'une vérité éclatante (l. 376-378), la prétendue clairvoyance du héros s'écroule. Pasolini traduit ce moment de déroute et de faiblesse par un geste symbolique : Œdipe enlève rageusement sa couronne, se mord la main et jette à terre Tirésias.

2 • L'*hubris* sacrilège

• Dans cette scène, Œdipe est coupable au plus haut point d'*hubris*. Son orgueil, sa colère, sa violence verbale, et surtout son scepticisme religieux font de lui un **sacrilège**. De même, sa **paranoïa du tyran** qui craint d'être renversé révèle ses failles.

• Chez Pasolini, cette *hubris* se manifeste très concrètement dans le jeu de Franco Citti, par le regard notamment.

3 • L'interprétation psychanalytique de la scène

• Pasolini fait cependant quelques changements signifiants.

– Sophocle fait dire à Tirésias : « Tu me reproches mon furieux entêtement, alors que tu ne sais pas voir celui qui loge chez toi » (l. 337-338) ; chez Pasolini, la phrase devient : « Tu me reproches **ma nature...** et tu ne veux pas connaître **la nature qui est en toi.** »

– Plus loin : « Sans le savoir [...] et sans te rendre compte du degré de misère où tu es parvenu » (l. 376-379), dit Tirésias ; chez Pasolini, la fin de la phrase devient : « Tu ne veux pas voir le **mal qui est en toi.** »

• Ainsi, en insistant sur l'idée de **nature profonde**, Pasolini tire la scène vers l'**inconscient**, faisant de Tirésias l'équivalent d'un psychanalyste qui tente de mettre au jour les fantasmes de son patient.

QUESTION 16

Quelles sont les significations de la scène avec le serviteur de Laïos, dans la pièce et dans le film ?

UNE ATMOSPHÈRE D'ESPOIR

• La confrontation avec le serviteur de Laïos constitue la dernière scène du troisième épisode de la pièce. Elle fait suite aux révélations apportées par le Corinthien et est précédée par un passage de chant et de danse du Chœur (hyporchème, l. 1136-1149).

• L'humeur est donc **joyeuse**. On pourrait croire que l'intrigue va prendre un virage différent, et même heureux. À ce stade de la pièce, Œdipe a encore **l'espoir d'être le fils de la Fortune** : si ce serviteur ne le connaît pas, la vie s'ouvre devant lui ; dans le cas contraire, il sera précipité dans le malheur.

• Pasolini, lui, a presque complètement supprimé l'échange avec le Corinthien, pourtant prévu initialement dans le scénario.

L'ULTIME ÉTAPE VERS LA VÉRITÉ

• **Œdipe est alors seul face à son destin**. Jocaste qui, avant Œdipe, a compris la cruelle réalité qui les accable, est sortie de scène, désespérée. Dans le film, la situation de Jocaste est transposée dans une scène ajoutée où on la voit rire et courir avec ses servantes, comme si elle s'accordait un ultime moment de répit avant de se donner la mort.

• L'**enquête** reprend donc. Œdipe procède avec clarté et méthode en **recoupant les faits**. Il interroge les **témoins de l'époque** : le Chœur d'abord, pour qui ce serviteur de Laïos est « un berger fidèle entre tous » (l. 1157) ; le Corinthien ensuite, qui confirme qu'il est bien le berger qui lui a remis le bébé aux pieds transpercés. L'interrogatoire du berger peut donc commencer.

LA VÉRITÉ COÛTE QUE COÛTE

• Œdipe va se livrer avec le berger à la même **quête maladive et violente de la vérité** qu'avec Tirésias. Dans le film, cette quête est suggérée par un plan du berger occupé à faire une digue dans son champ, qui voit avec inquiétude venir au loin Œdipe et ses gens. Dès lors, dans la pièce comme dans le film, le berger acculé par Œdipe, est obligé parler.

• Mais il se montre **aussi réticent que Tirésias** à dire ce qu'il sait. Conscient de conséquences tragiques qui suivraient ses révélations, il essaie de repousser l'inévitable en se réfugiant dans la **dénégation et** le **silence** : «Malheur à toi ! veux-tu te taire » (l. 00), crie-t-il violemment au Corinthien en le menaçant avec un bâton. Œdipe pour le faire parler, devra alors menacer l'homme de représailles (l. 1200-1201).

• Par un dialogue que le film reproduit en champ-contrechamp entre Œdipe au regard avide de savoir et le serviteur au regard désolé et inquiet, c'est donc à une véritable épreuve de **torture mentale** que vont être soumis et les personnages et Œdipe. Au fil du dévoilement, malgré les réticences répétées du serviteur, l'horrible vérité tombe : «Hélas ! j'en suis au plus cruel à dire » (l. 1223), ce à quoi Œdipe **assumant** son désir de vérité sur lui-même, répond : «Et pour moi à entendre Pourtant je l'entendrai » (l. 1224).

LA MÉTAMORPHOSE D'ŒDIPE

• Cette scène donne à Œdipe sa **véritable identité** et lui dévoile définitivement l'illusion dans laquelle il vivait. **Naît alors un autre Œdipe**, comme l'avait prédit Tirésias («Ce jour te fera naître et mourir à la fois», l. 00), un Œdipe résigné et assagi, **acceptant la vérité** et ne la fuyant plus comme il l'avait fait face à Tirésias

• Cette résignation et ce calme se voient dans le jeu de Franco Citti qui, après s'être emporté contre le serviteur, termine l'échange dans une **sérénité nouvelle**, chuchotant presque les dernières questions qu'il lui pose.

• Pasolini rend plus visible encore la métamorphose d'Œdipe, en faisant précéder ses dernières paroles avant qu'il ne se crève les yeux d'une **scène qui ne se trouve pas dans la pièce**. Œdipe, après avoir quitté les champs du berger de Laïos, retourne dans la cité, suivi de ses gens et de ses gardes. La caméra le suit de dos montant les marches du palais. À deux reprises, il regarde les fenêtres de la chambre nuptiale où il semble guetter le regard de Jocaste dont il sait désormais qu'elle est sa mère. Puis, face à ses sujets, en roi, il prononce solennellement mais sans grandiloquence l'acceptation de la vérité : «Maintenant tout est clair... Voulu, non pas imposé, par le destin. »

QUESTION 17

Comment apparaît le personnage de Jocaste dans la pièce et dans le film ?

LA JOCASTE DE SOPHOCLE, ACTRICE ET VICTIME DE SON DESTIN

1 • Un personnage secondaire ?

● Les femmes dans la société grecque de l'Antiquité n'ont pas le droit de vote. Elles occupent dans la demeure familiale un appartement réservé, le **gynécée**, elles organisent la vie domestique et la première éducation des enfants.

● Héritière des mythes et de l'épopée, la tragédie met en scène des guerriers et des rois. Les femmes semblent ne pouvoir jouer qu'un **rôle secondaire** dans l'univers tragique : mères désolées, faibles femmes incapables de s'opposer aux décisions de l'autorité masculine. **C'est loin d'être le cas de Jocaste**.

2 • Une femme forte et déterminée

● C'est de concert avec son premier époux qu'elle a abandonné son enfant. Son rôle sur scène est loin d'être négligeable : elle obtient d'Œdipe qu'il consente à ne pas tuer Créon. Elle est à ses côtés pendant presque toute l'enquête et le réconforte sur la faillibilité des oracles. Elle se montre **sûre d'elle** à chaque fois qu'une révélation confirme son scepticisme religieux.

● D'ailleurs Œdipe lui manifeste un **profond respect** (l. 727) et reconnaît en elle une **confidente** digne de sa confiance (l. 807).

● Enfin on la voit, de sa propre initiative, organiser des rituels en l'honneur des dieux pour demander leur aide (l. 926-929). À ce moment de la pièce, **Jocaste se sent inébranlable, plus forte même que son époux** : « Œdipe laisse ses chagrins ébranler un peu trop son cœur. Il ne sait pas juger avec sang-froid du présent par le passé » (l. 928-930).

3 • Un instrument involontaire du destin

● Pourtant, **malgré son énergie et ses certitudes**, Jocaste n'est qu'un instrument du destin. Elle ne connaît qu'une partie de la vérité, celle qu'elle a vécue et celle qu'on lui a rapportée. C'est pourquoi elle est, tout comme Œdipe, l'**outil de l'ironie tragique**.

● Jocaste est persuadée de la vanité des oracles (l. 737-738). Elle raconte que son premier mari et elle ont consulté l'oracle de Delphes et comment leur action a pu déjouer la prédiction, preuve suffisante que l'oracle mentait. Mais ce qu'elle ne sait pas, c'est qu'Œdipe n'est pas mort et que Laïos n'a pas été tué par un brigand. **Jocaste**, pourtant forte de sa raison, **est dans l'illusion la plus totale**.

LA JOCASTE DE PASOLINI, UNE FEMME-MÈRE FANTASMÉE

1 • Une beauté hiératique[1]

• Incarnée par **Silvana Mangano**, la Jocaste de Pasolini est décrite ainsi par le cinéaste : « Une femme belle comme une reine, aux yeux obliques et longs, tartares, et pleins d'une douceur cruelle[2] » (→ DOC. 4, cahier couleur, p. III).

• Pasolini fait donc de Jocaste une femme à la **beauté inaccessible**, au teint de statue, aux traits presque figés. Son regard, accentué par l'absence de sourcils, le blanc de la peau et le noir autour des yeux, est donc « tartare[3] », d'un exotisme mystérieux.

• Cette dimension est renforcée par les nombreux plans que le cinéaste lui accorde, alors que le dialogue se joue hors de sa présence, sur les marches du palais. La caméra la montre réagissant, silencieuse mais expressive, aux paroles d'Œdipe.

2 • La figure de la mère incestueuse

• Le film de Pasolini **accentue clairement le rôle de Jocaste**, en insistant sur l'amour interdit qui l'unit à son fils, soit par les plans qui la surprennent à sa fenêtre, soit quand Œdipe porte son regard vers cette même fenêtre.

• De plus, en introduisant des scènes d'union charnelle entre la mère et le fils, Pasolini **explicite la réalité de l'inceste**, notamment dans la scène où Jocaste et Œdipe se révèlent l'un à l'autre une partie de leur passé dans la chambre conjugale. Œdipe, que la rage emporte, affirme que si l'homme qu'il a tué et Laïos ne font qu'un... puis il s'arrête de parler, enlève la broche de Jocaste et dit « **mère** ». Jocaste doit donc, affolée, accepter le corps de cet homme qui la prend pour sa propre mère.

• Pasolini semble dire là qu'Œdipe et Jocaste ont peut-être toujours su qu'ils étaient coupables d'un amour incestueux et qu'ils le désiraient. Dans la même scène, Jocaste se débat en criant : « Je ne veux pas entendre », signe du **refoulement de cette vérité inavouée**.

---

1. Hiératique : se dit de quelque chose de sacré, qu'on n'ose approcher et qui paraît austère et froid.
2. Pasolini Pier Paolo, *Il Vangelo secondo Matteo – Edipo re – Medea* (*L'Évangile selon saint Matthieu – Œdipe roi – Médée*), Milan, Garzanti, coll. Gli Elefanti Poesia, 2006, p. 354.
3. Tartare : région asiatique du pourtour de la mer Caspienne.

QUESTION 18

En quoi *Œdipe roi* est-elle une pièce qui interroge la responsabilité humaine?

UNE RÉFLEXION SUR LA FAUTE ET LA CULPABILITÉ

1 • La faute est un excès: l'*hubris*

● L'*hubris* désigne toute forme de démesure, d'**excès par rapport à un ordre établi**, divin ou humain. Elle est fondamentale pour comprendre ce qu'est la **faute tragique**.

● Lorsque les héros tragiques se laissent aller à leur colère, à leur douleur, le chœur vient modérer leur **démesure**: *«Cède à sa prière, montre bon vouloir, reprends ton sang-froid, je t'en prie, seigneur»* (l. 680-681), conseille le Chœur à Œdipe qui se laisse aller à sa rage contre Créon.

2 • La faute est une transgression

● Lorsque la démesure conduit l'homme à sortir des limites imposées par les dieux au point de **rivaliser avec eux**, la faute est plus grave et conduit l'individu à sa perte. Quand Œdipe, trop confiant dans son intelligence (*logos*), en vient à remettre en question le devin Tirésias, il se montre coupable d'impiété et d'*hubris*. L'homme doit rester à la place que lui ont assignée les dieux. Le roi ne doit pas remettre en question la religion. Il ne doit pas non plus abuser de son pouvoir.

● Lorsque la faute attente aux **lois fondamentales de l'humanité** (inceste, meurtre de parents, anthropophagie), la condamnation divine est implacable. Œdipe est coupable d'une telle transgression: «Tu ne te doutes pas que tu es en horreur aux tiens, dans l'enfer comme sur la terre» (l. 432-433), clame Tirésias. Il en prend conscience à la fin de la pièce: «Hymen, hymen [...] qui, de la sorte, as montré au monde des pères, frères, enfants, tous de même sang! des épousées à la fois femmes et mères – **les pires hontes des mortels**...» (l. 1432-1436).

ŒDIPE EST-IL RESPONSABLE DE SES FAUTES?

1 • Coupable mais pas responsable?

● **Les héros tragiques ne font pas toujours ce qu'ils veulent**. Soit ils payent pour une faute dont ils ne sont pas responsables: c'est le cas d'Antigone et des enfants d'Agamemnon, Oreste et Électre. Soit ils sont les jouets des dieux et commettent des actes irréparables sans en avoir conscience : Œdipe tue son père et épouse sa mère sans connaître leur identité. Pourtant, en faisant d'Œdipe un homme sûr de ses actes et de sa raison, Sophocle nous montre que **son libre arbitre est en jeu** dans la tragédie de son existence.

2 • Une réflexion sur la justice humaine

• La culpabilité tragique se situe donc entre deux types de fautes : la faute-souillure et la faute délibérée. La **faute-souillure** est une maladie de l'esprit envoyée par les dieux et engendrant nécessairement le crime. La **faute délibérée**, de conception plus moderne, est celle d'un coupable qui, sans y être contraint, choisit de commettre un délit. Chez Sophocle, on se trouve dans la zone intermédiaire d'une **justice en train de s'établir dans la cité**.

• C'est **en tant que roi** qu'Œdipe proclame la sentence qui punira le coupable, non en tant que porte-parole des dieux ; il est donc le représentant d'une **justice humaine**. De même, au début de la pièce, quand le prêtre s'adresse à lui, c'est à l'homme qu'il demande d'agir et non aux dieux. Si les lois des dieux s'imposent encore, par le biais notamment de ces oracles dévastateurs qui refusent à l'homme toute part de libre arbitre et donc toute part de responsabilité, la résolution de la crise tragique passe par les hommes et non par les dieux. Œdipe a beau être la victime d'une malédiction divine, c'est en homme qu'il a commis ses crimes, c'est en homme qu'il a voulu instaurer une forme de justice et c'est en homme qu'il paye ses crimes et se remet entre les mains de Créon. Œdipe n'était pas possédé par les dieux, il avait toute sa tête, il a donc agi consciemment. En ce sens sa responsabilité est entière, même si on a l'impression du contraire.

• *Œdipe roi* reflète donc une justice athénienne qui commence à penser la responsabilité en termes de droit, comme l'explique J.-P. Vernant : « En s'efforçant de distinguer des catégories de faute relevant de tribunaux différents, [...] le droit met l'accent sur les notions d'intention et de responsabilité ; il soulève le problème des degrés d'engagement de l'agent dans ses actes[1]. » Cette **dualité entre une causalité transcendante et une causalité humaine** est le **propre de l'univers tragique**.

---

1. J.-P. Vernant, *Mythe et tragédie en Grèce ancienne* (1972), Éditions La Découverte/Poche, 2004.

QUESTION 19

Quelles significations la psychanalyse apporte-t-elle à la pièce et au film ?

L'ANALYSE FREUDIENNE DE LA TRAGÉDIE D'ŒDIPE

1 • Le complexe d'Œdipe

• En 1897, Freud donne l'une de ses premières définitions du complexe d'Œdipe : « J'ai trouvé en moi, comme partout ailleurs, des sentiments envers ma mère et de jalousie envers mon père, sentiments qui sont, je pense, communs à tous les jeunes enfants[1]. » On croirait lire les propos de Jocaste : « Ne redoute pas l'hymen d'une mère : bien des mortels ont déjà dans leurs rêves partagé le lit maternel » (l. 1003-1004). Et Freud va plus loin : « La légende grecque a saisi une compulsion que tous reconnaissent parce que tous l'ont ressentie. Chaque auditeur fut un jour en germe, en imagination, un Œdipe et s'épouvante devant la réalisation de son rêve transposé dans la réalité[2]. » **Le complexe d'Œdipe est l'un des points clés qui définissent l'inconscient** comme réseau de désirs refoulés.

• Ainsi, pour Freud, la croissance émotionnelle et affective d'un enfant passe nécessairement par le **désir amoureux pour sa mère**, envers qui il ressent ses premiers élans sexuels et par la **haine de son père**, envers qui il ressent ses premiers désirs de violence.

2 • L'enquête tragique et l'enquête psychanalytique

L'autre élément qui intéresse Freud dans *Œdipe roi*, c'est qu'il voit, dans le processus de reconnaissance propre à la structure tragique, un processus semblable au déroulement d'une **analyse** qui doit permettre au patient de mettre au jour ses fantasmes refoulés. Œdipe est comme un **patient** qui doit mener une enquête au fond de lui-même.

LA LECTURE PSYCHANALYTIQUE PASOLINIENNE DU MYTHE D'ŒDIPE

1 • La mise au jour des zones d'ombre du cinéaste

• Pasolini trouve dans le mythe d'Œdipe des **résonances avec son propre vécu**. La maison bourgeoise des années vingt dans une petite ville italienne[3], le père

---

1. Cité par Jean Starobinski, « Hamlet et Œdipe », *La Relation critique*, Éditions Gallimard, 1970.

2. Jean Starobinski, « Hamlet et Œdipe », *op. cit.*

3. Le prologue du film a été tourné en Lombardie, dont les paysages ressemblent à ceux du Frioul, pays d'enfance de Pasolini.

officier, la mère aimante, constituent à la fois l'univers de la petite enfance du cinéaste et un milieu conventionnel contre lequel il s'est dressé. Tout cela formant, pour Pasolini, l'équivalent de fragments de rêves que l'analyse a pour fonction de dévoiler et d'interpréter.

● En reconnaissant qu'*Œdipe roi* est son film le plus autobiographique, le cinéaste nous invite à voir dans ces scènes premières de son existence des traumatismes personnels. Un élément récurrent du film, le **geste d'Œdipe qui se mord la main** comme pour atténuer sa rage ou sa honte, est sans doute le signe d'un conflit intérieur vécu par le cinéaste.

● Enfin, en **renforçant le rôle de Jocaste** et en explicitant visuellement l'inceste, Pasolini accentue la signification psychanalytique du mythe antique.

2 • La rencontre avec la Sphinx, une représentation de l'inconscient

● Pour la scène avec la Sphinx, Pasolini **s'éloigne** considérablement du mythe antique, où la **Sphinx est un monstre hybride**, lion et femme. Dans le film, la Sphinx devient le **Sphinx**, au corps et à la voix d'homme. Sa monstruosité est figurée par un **masque** de chouette, surmonté d'une chevelure de crin (→ DOC. 3, cahier couleur, p. II). Ce masque ne traduit pas l'opposition entre l'intelligence et la bestialité. Tout au contraire : Œdipe se précipite sauvagement vers le Sphinx, lui laisse à peine le temps de parler et le tue.

● L'**énigme sur l'homme disparaît** au profit d'une question personnelle : « Il y a une énigme dans ta vie. Quelle est-elle ? », à laquelle Œdipe refuse de répondre, préférant répéter : « Je ne veux pas le savoir. » Pasolini explique ainsi son interprétation du Sphinx : « Œdipe peut faire l'amour avec sa mère seulement à condition de refouler le Sphinx dans l'abîme, c'est-à-dire dans son propre inconscient[1]. »

3 • Le meurtre du père

Une autre interprétation personnelle du complexe d'Œdipe chez Pasolini réside dans le fait d'élargir, dans la relation mère/père/enfant, les significations accordées au père. Au-delà de la haine pour le géniteur, ce sont toutes les haines du cinéaste pour les entraves qui ont jalonné sa vie que le film concrétise : la famille, la société, la religion. **Assassiner le père**, pour Pasolini, équivaut à **jeter le masque de tous les faux-semblants** d'une société aliénante. C'est pourquoi, dans le film, la scène du meurtre de Laïos est si longue et si forte en significations.

---

1. Pasolini, *Cahiers du cinéma*, novembre 1967.

QUESTION 20

Comment le décor et les costumes du film rendent-ils l'atmosphère de la tragédie grecque ?

UNE TRANSPOSITION LIBRE DE L'UNIVERS TRAGIQUE

1 • La Grèce en fantaisie africanisée

● Pasolini transpose le mythe d'Œdipe en Afrique : espace naturel semi-désertique et lieux d'habitation du **Sud marocain**, décors, costumes et musiques issus de cultures noires africaines.

● Au lieu d'aller chercher décors et costumes dans la Grèce antique historique, Pasolini crée un espace **non réaliste, fantaisiste, hybride**, qui peut convenir, selon lui, à rendre le **côté intemporel du mythe**. Dans le folklore et les décors africains, le cinéaste dit trouver « des peuples archaïques, qui, aussi bien chronologiquement qu'idéalement, sont nos contemporains, parce qu'il est clair que rien en nous ne doit être détruit et que tout coexiste[1] ».

2 • Un décor signifiant

● Ce qui importe à Pasolini, c'est de générer un **décor lisible**, non limité à une période historique. Il privilégie une atmosphère à une réalité quelconque.

● Pasolini multiplie les **figurants** que l'on voit danser, chanter, courir, crier, former une communauté d'hommes. Il use également de plans signifiants sur les maisons, les murs, les fenêtres ou encore sur les espaces naturels. L'ensemble a pour effet de démultiplier les significations à partir d'un **langage des lieux**.

LES OUTILS DE LA TRANSPOSITION

1 • Le jeu des couleurs

● Pasolini utilise un **contraste de couleurs** très vives. L'utilisation d'un filtre orange a, par exemple, renforcé les rouges et les ocres des décors naturels ou des murs des habitations. Les bleus des costumes des notables de Thèbes sont chatoyants. Les couleurs des draps enveloppant les cadavres, lors de la cérémonie funèbre, sont éclatantes.

---

1. Pasolini à Jean-André Fieschi, cité par Anne Violaine Houcke dans « Sous les soleils de la Grèce », *Magazine littéraire*, janvier 2015.

• Nous avons en effet une fausse image de la Grèce antique dont les temples étaient beaucoup plus colorés que ce que nous en voyons aujourd'hui. Ce choix d'un **univers coloré** contribue donc à rendre vivant l'univers mythologique.

2 • Théâtralisation et expressivité des costumes

• Dans l'Antiquité, les acteurs tragiques portaient des **masques**, de longues robes et des chaussures à haut talons (les cothurnes) qui les grandissaient. Le chœur était revêtu de costumes très visuels et très attendus par les spectateurs.

• Pasolini n'a pas hésité à garder, voire à renforcer, le **caractère théâtral** du spectacle tragique par le choix de ses costumes. Ils sont tous **très lisibles** pour le spectateur, un peu comme dans un spectacle pour enfants : les signes sont clairs, on sait qui est qui, qui fait quoi.

• Le cinéaste était conscient de l'aspect **grotesque** de certains costumes, qu'il assumait pour mieux se libérer de toute signification précise : « J'avais besoin d'accomplir, à l'intérieur du film, une sorte de désacralisation quasi humoristique[1]. »

• Ainsi les **coiffes** ou les **chapeaux** sont-ils **démesurément grands** : la couronne d'Œdipe à la cour de Corinthe, celle qu'il porte à Thèbes (→ DOC. 5, cahier couleur, p. IV) ; la coiffe blanche en forme de corolle de fleur de Jocaste quand elle apparaît pour rencontrer Œdipe ; les chapeaux de voyageur de Créon, mais surtout ceux d'Œdipe qui semblent directement inspirés de la Grèce antique[2].

• Les **masques** de la Pythie et du Sphinx (→ DOC. 3, cahier couleur, p. II) font penser à ceux de cultures océaniques ou africaines. Chaque personnage ou figurant est habillé au moins d'un accessoire qui lui fait prendre sa place dans cet univers bigarré et vivant.

3 • Un folklore musical multiculturel

La **bande-son** participe à cette théâtralité chatoyante par les **chants**, soit entamés par certains groupes, soit en off. Ils sont d'origine diverse, dits dans une langue incompréhensible pour le spectateur. Ils contribuent à la création d'une civilisation intemporelle et mythique.

---

1. Pasolini aux *Cahiers du cinéma*, novembre 1969.
2. Comme sur le fond de la kylix (coupe à boire) à figures rouges des musées du Vatican. (→ Illustration en 2e de couverture.)

Lexique de la tragédie grecque

AGÔN
Affrontement verbal entre deux acteurs.

CITÉ (en grec, *polis*)
Unité politique constituée par une ville et ses environs ; la *politique* désigne primitivement les affaires de la cité.

CATHARSIS
Mot employé par Aristote dans la *Poétique*. Il signifie « purgation des passions ». Le spectateur, par le théâtre, vit des pulsions interdites, ce qui lui permet de s'en défaire, de s'en « purger ».

CHŒUR
Groupe d'acteurs, à la fois danseurs et chanteurs (quinze à l'époque de Sophocle). Ils n'ont pas véritablement de rôle actif dans la pièce et vivent les événements comme les spectateurs.

CHOREUTE
Membre du chœur.

CORYPHÉE
Chef du chœur qui, parfois, prend la parole seul.

DRAMATIQUE (du grec *drama*, « action »)
Ce qui se rapporte au théâtre ; à ne pas confondre avec le sens commun du terme, « triste, émouvant, pénible ».

ÉPISODE
Partie parlée d'une tragédie grecque, où l'action progresse par le dialogue des personnages entre eux ou avec le chœur ; l'épisode est situé entre deux *stasima*.

EXODOS
Sortie du chœur de la scène, ce qui correspond à la partie finale de la tragédie.

HYPORCHÈME
Partie d'humeur joyeuse, dansée et chantée par le chœur, qui sépare un épisode en deux temps.

HUBRIS
Démesure, excès dans le comportement comme dans les actes.

KOMMOS (pluriel *kommoi*)
Chant alterné entre le chœur et les acteurs.

ORCHESTRA
Espace circulaire au centre du théâtre, au niveau du sol, où évolue le chœur.

PARODOS
Entrée du chœur sur scène.

PHARMAKOS
À Athènes, pour se débarrasser de la souillure accumulée au cours de l'année, on expulsait rituellement un *pharmakos* (homme et/ou femme recrutés parmi les criminels et les exclus de la société athénienne) qui prenait en charge individuellement la souillure collective au cours d'une cérémonie.

PROLOGUE
Partie de la pièce qui se déroule avant que le chœur n'entre en scène.

PROSCÉNION ou LOGÉION
Estrade en bois peu élevée, séparée de l'*orchestra* par quelques marches et située devant la *skênê*, sur laquelle évoluent les acteurs.

PROTAGONISTE
Premier acteur; *deutéragoniste*: deuxième acteur; *tritagoniste*: troisième acteur. Chacun jouait plusieurs rôles.

RYTHME
La tragédie est écrite en vers. Ceux-ci sont fixés par la tradition et donnent des effets de rythme différents aux paroles des acteurs ou des choreutes.

SKÊNÊ
Baraque en bois servant de coulisses et de mur de décor.

STASIMON (pluriel *stasima*)
Littéralement, « chant sur place » ; moment où l'action de la pièce s'arrête pour laisser place aux chants du chœur.

STICHOMYTHIE
Échange vif de répliques courtes, de volume égal et de forme similaire. À un vers répond un vers, souvent de même forme syntaxique.

STRATÈGE
Magistrat élu, équivalent d'un ministre dans les démocraties modernes.

TRAGIQUE
Ce qui relève de la tragédie (à ne pas confondre avec l'adjectif *dramatique* au sens courant de «triste», «pénible»). Est *tragique* une situation où deux exigences contradictoires sont imposées à un individu, sans qu'il puisse s'en acquitter en même temps ; par extension, *tragique* signifie «funeste et terrible».

TRILOGIE TRAGIQUE
Lors du concours tragique, les trois auteurs en lice devaient composer trois tragédies. Cette trilogie pouvait être *liée* et former un tout (l'*Orestie* d'Eschyle, par exemple) ; elle pouvait aussi être composée de *trois tragédies indépendantes* (c'est le cas des tragédies de Sophocle que nous lisons aujourd'hui).

TYRANNIE
Système politique dans lequel la cité délègue ses pouvoirs à un seul homme, de façon plus ou moins contrainte, dans une situation de crise.

Vocabulaire du cinéma

Bande-son
Elle se compose de la voix, des bruits et de la musique.

Cut
Verbe anglais signifiant « couper ». Le cut désigne une simple juxtaposition de deux plans, sans effet de liaison.

Cadrage
Il détermine l'échelle du plan, sa composition interne et l'angle de prise de vue.
Il délimite l'image visible à l'écran.

Champ
Partie de l'espace montrée à l'écran.

Contrechamp
Espace opposé au champ.

Champ/contrechamp
La caméra filme alternativement deux personnages qui se font face.
Technique très employée dans les dialogues.

Contre-plongée
La caméra filme en dessous de l'objet, ce qui produit un effet de grandeur.

Panoramique
Mouvement de la caméra qui pivote sur son axe horizontalement ou verticalement, tandis que le pied reste fixe.

Plan
Portion de film enregistrée au cours d'une prise de vue. Après le montage, portion de film entre deux collures. C'est la plus petite unité filmique.

Plans (échelle des)
Échelle établie par rapport à la taille des personnages, qui permet de définir les différents plans. On distingue :

– le plan général : il cadre un paysage ;
– le plan de demi-ensemble : il cadre le(s) personnage(s) dans un lieu ;
– le plan moyen : il cadre un personnage en entier ;
– le plan américain : il cadre un personnage des cuisses à la tête ;
– le plan rapproché taille/buste : il cadre un personnage à partir de la taille ou du buste ;
– le gros plan : il cadre la tête d'un personnage ;
– le détail/insert : il cadre un détail d'un personnage ou d'un objet.

Off

Mot anglais signifiant « hors de », abréviation de *off screen* (« en dehors de l'écran »). Le son off vient d'une source invisible à l'écran.

Plongée

Prise de vue effectuée quand la caméra est positionnée au-dessus du sujet. Elle produit un effet d'écrasement.

Scénario

Description de l'action d'un film contenant dialogues et indications techniques.

Travelling

Objectif fixe, la caméra est sur un chariot que l'on déplace.

CLASSIQUES & CIE

Conception graphique de la maquette : c-album, Jean-Baptiste Tasine, Rachel Pfleger ; Studio Favre & Lhaïk ; dossier : Lauriane Tiberghien • Principe de couverture : Double • Mise en page : Chesteroc Ltd • Suivi éditorial : Luce Camus.

Achevé d'imprimer en Italie par Grafica Veneta S.p.A.
Dépôt légal : 99499 - 9/03 - Août 2016

PAPIER À BASE DE
FIBRES CERTIFIÉES

Hatier s'engage pour
l'environnement en réduisant
l'empreinte carbone de ses livres.
Celle de cet exemplaire est de :
400 g éq. CO₂
Rendez-vous sur
www.hatier-durable.fr